Jean-Paul Sartre

Huis clos

et **Les mouches**

par François Noudelmann

François Noudelmann

présente

Huis clos

et **Les mouches**

de Jean-Paul Sartre

Gallimard

ABRÉVIATIONS

François Noudelmann est professeur en classes préparatoires à Paris, et auteur d'une thèse sur l'imagination chez Sartre.

INTRODUCTION

Écrivain polymorphe, Sartre a expérimenté de nombreux types d'écriture. Romancier, nouvelliste, scénariste, essayiste, critique, il a varié les registres, philosophiques, politiques, littéraires, témoignant, dès sa jeunesse, d'une prolixité ininterrompue. Sartre n'a jamais cessé d'écrire, des carnets lorsqu'il était prisonnier en Allemagne, des commentaires esthétiques lorsqu'il voyageait en Italie, une étude de trois mille pages sur Flaubert pendant qu'il militait aux côtés des maoïstes. Même la mort semble impuissante à stopper cette profusion, puisque les nombreuses publications posthumes ne laissent de surprendre les lecteurs. À ce titre, la période qui nous intéresse voit notamment la rédaction d'une suite romanesque, *Les chemins de la liberté*, d'une somme philosophique, *L'Être et le Néant*, et de pièces de théâtre, *Les mouches* et *Huis clos*.

Précisément, ces deux œuvres sont les premières d'une longue série de créations dramaturgiques qui a donné à Sartre une grande célébrité littéraire. Indépendamment de leur succès, les deux pièces ont une importance particulière en ce qu'elles témoignent du choix d'un genre qui deviendra privilégié par l'auteur. Avec elles, Sartre prend date au sein de la création dramaturgique, comme il prend position à son égard. En effet, le choix d'un mode d'expression n'est pas seulement circonstanciel, il implique une attitude de pensée et un langage spécifiques. Il importe alors de comprendre pourquoi Sartre a opté pour le théâtre, ce qu'il y trouve, les contraintes qu'il y assume, et les changements qu'il y imprime.

D'une manière générale, Sartre, en diversifiant ses écrits, a bouleversé la distinction des genres, suscitant souvent des malentendus et des ostracismes disciplinaires. Perçues comme des illustrations de thèses philosophiques, ces pièces souffrent d'une lecture trop univoque, et qui méconnaît leur originalité et leur puissance propres. Il convient par conséquent d'éviter l'exégèse consistant à repérer systématiquement les correspondances, comme il importe de ne pas réduire ces deux pièces à des premiers pas de la pensée sartrienne : la notion d'Œuvre est une fiction qui construit un regard rétrospectif sur les textes et masque leur autonomie. Certes, *Les mouches* et *Huis clos* sont empreints des idées de *L'Être et le Néant*, et les pièces ultérieures, comme *Les séquestrés d'Altona*, en constitueront un dépassement, fortes de la réflexion marxiste menée dans la *Critique de la raison dialectique*. Mais pour apprécier la singularité de ces pièces, il nous faut revenir à leur sens originel, à leur situation littéraire et historique, pour ensuite déployer ce sens jusqu'à notre époque et selon nos interprétations diverses.

Les mouches (1943) et *Huis clos* (1944) sont deux pièces écrites et jouées pendant l'Occupation, et leurs dates respectives sont éminemment signifiantes. Les intentions politiques ont rencontré un public qui n'a pas toujours entendu le message délivré ; et les conditions de la représentation ont pu modifier la signification recherchée, au point de susciter encore aujourd'hui des polémiques sur l'attitude résistante de Sartre. Pour fournir des éléments de réponse, il est nécessaire de repenser la notion de tragique, et d'analyser comment Sartre bouleverse les rapports entre histoire et destin. Le théâtre se trouve dépouillé de ses artifices coutumiers pour présenter l'existence brute et la nudité de l'acte. Les deux pièces montrent ainsi la conscience humaine aux prises avec les deux épreuves existentielles : la chair, et autrui. Nous étudierons *Les mouches* et *Huis clos* à la fois dans leur parenté et dans leur spécificité : elles mettent en œuvre des questions auxquelles elles répondent différemment, selon leur contexte historique, et selon l'évolution de la dramaturgie sartrienne. Une étude des liens internes qui unissent les deux œuvres doit permettre d'y déceler, dans leur usage de l'imaginaire, le projet d'une invention de l'homme par le théâtre.

I LE THÉÂTRE DANS L'HISTOIRE

1. LE THÉÂTRE SOUS OCCUPATION

Pourquoi Sartre, à son retour de captivité en 1941, décide-t-il d'écrire une pièce de théâtre, alors qu'il s'est jusqu'alors consacré aux genres narratif et philosophique ? Des circonstances anodines ont pu encourager cette inclination. Ainsi des *Mouches* : un voyage en Grèce, en 1937, avait déjà fixé quelques images, actualisant les souvenirs scolaires et l'étude des auteurs tragiques[1]. Plus décisive, la représentation des *Suppliantes* d'Eschyle, mises en scène au stade Roland-Garros par Jean-Louis Barrault pendant l'été 1941, a encouragé Sartre à écrire une adaptation de l'*Orestie*. En ce qui concerne *Huis clos*, les motivations semblent plus sibyllines, puisqu'il s'agit d'un service rendu à quelques acteurs en mal de textes pour jouer la comédie. À l'automne 1943, Sartre interrompt l'écriture du *Sursis*, et rédige en quinze jours une pièce destinée à trois amis et qui s'intitule d'abord « Les Autres ». Afin de n'avantager aucun d'eux, il s'efforce d'équilibrer les rôles et de maintenir continûment les trois personnages sur scène. Camus, qui s'était présenté à Sartre lors de la représentation des *Mouches*, fut pressenti pour le personnage de Garcin, et l'auteur de *L'étranger* répéta son rôle dans la chambre d'hôtel de Simone de Beauvoir. En fait, la distribution définitive, par le metteur en scène Raymond Rouleau, fit jouer d'autres acteurs, ne gardant qu'un élève de Sartre pour le rôle du garçon[2]. Mais l'expérience des *Mouches* avait été déterminante dans le choix du genre théâtral, et Sartre, dans un hommage de 1966, rappela combien Charles Dullin, par sa mise en scène et ses remarques, avait contribué à son talent dramaturgique. Et si la première pièce n'a pas

1. Cf. Dossier, p. 146, Légendaire Argos.

2. Cf. S. de Beauvoir, *La force de l'âge*, Paris, Gallimard, 1960, p. 668.

connu un franc succès, *Huis clos*, en revanche, donna une grande notoriété au nouveau dramaturge, au point qu'il décida de quitter l'enseignement[1].

1. Cf. A. Cohen-Solal, *Sartre*, Paris, Gallimard, 1985, p. 286.

Au-delà de ces prétextes à l'écriture, Sartre connut un événement beaucoup plus prépondérant, et qui engagea sa conception du théâtre : dans le camp de prisonniers en Allemagne, il a participé aux festivités de Noël en composant *Bariona, ou le Fils du tonnerre*, drame d'inspiration religieuse, dont il s'est servi pour faire passer quelque message d'espoir à ses camarades du Stalag. Avec cette pièce, il reprend le mystère de la Nativité pour évoquer la libération de la Palestine occupée par les Romains. Même si Sartre a refusé de considérer cette pièce au même titre que ses autres créations, car elle restait liée au seul moment de sa représentation, elle demeure un modèle fondateur. En cet événement, le biographique dépasse l'anecdotique, dans la mesure où il informe le projet d'écriture, c'est-à-dire fournit la forme matricielle aux textes futurs. Ce mystère de Noël a donné lieu à une communion qui, pour Sartre, eut la valeur d'une fusion par l'imaginaire. Grâce à un récit connu et commun, une idée s'est manifestée sans être explicite, intimement comprise, vécue par les spectateurs réunis dans leur infortune, et réagissant à la menace par l'affirmation de leur liberté. Le plus important n'est pas l'idée elle-même, mais le phénomène collectif engendré par la représentation dramaturgique. Le théâtre ne sera jamais, pour Sartre, un divertissement boulevardier, mais organisera la réunion momentanée d'un auteur et de spectateurs, dépassant leur séparation naturelle et leurs divergences, pour participer activement à la réalisation d'un sens. Chrétiens ou non, les prisonniers ont communié dans cette fiction porteuse d'avenir : « À cette occasion, comme je m'adressais à mes camarades par-dessus les feux de la rampe, leur parlant de leur condition de prisonniers, quand je les vis soudain si remarquablement silencieux et attentifs, je compris ce que le théâtre devait être : un grand phénomène collectif et religieux » (*TS*, p. 62). Avec *Les mouches* et *Huis clos*, Sartre souhaite retrouver cette expérience collective, cette complicité des prisonniers contre leurs gardiens, manifestée sur un mode imaginaire. À cet égard, le choix de la tragédie grecque rappelle une époque à laquelle le théâtre est directement lié à la vie de la cité dont il met en scène les conflits. Mais les conditions de la représentation ne sont plus tout à fait les mêmes qu'au Stalag. Et la captivité change de sens lorsque les prisonniers collaborent à leur propre emprisonnement. Quelle est la situation du théâtre à Paris sous occupation allemande ?

LA CENSURE THÉÂTRALE

Avant de considérer l'implication de Sartre dans la vie théâtrale parisienne sous contrôle allemand, il convient de rappeler quelques données historiques concernant les activités culturelles pendant cette période. Toute création, tout spectacle était soumis à la censure, la *Propaganda Staffel*, qui exerçait un contrôle systématique et pouvait interdire ou interrompre à tout moment des représentations, comme ce fut le cas, par exemple, des *Parents terribles*, une œuvre de Cocteau jugée immorale. Cette instance visait moins, en fait, à imposer l'idéologie nazie qu'à donner l'illusion d'une activité culturelle proprement française, correspondant aux valeurs de la Révolution nationale prônées par le régime de Vichy. Il n'est donc pas si paradoxal de constater que la période de l'Occupation a été particulièrement riche en événements théâtraux. Conformément à son idéal d'un retour à la terre et aux vertus de la campagne, le régime de Vichy subventionnait largement les spectacles pastoraux ou les fêtes exaltant le folklore régional[1]. Mais surtout, de prestigieuses pièces du patrimoine littéraire français ont vu le jour à cette époque : de 1942 à 1944 ont été créés *Sodome et Gomorrhe* de Giraudoux, *Le soulier de satin* de Claudel, *La reine morte* de Montherlant, *Antigone* d'Anouilh, *Le malentendu* de Camus. *Les mouches* ont été créées le 2 juin 1943, et *Huis clos* le 27 mai 1944, avec, elles aussi, l'autorisation de la censure. Faut-il pour autant conclure que ces œuvres étaient en conformité avec les conceptions pétainistes ? De sérieuses mises au point s'imposent, au regard des polémiques concernant l'attitude de Sartre pendant l'Occupation.

Lorsqu'il entreprend l'écriture des *Mouches* en octobre 1941, Sartre a renoncé aux activités résistantes du groupe « Socia-

1. Cf. S. Added, *Le théâtre dans les années Vichy*, Paris, Ramsay, 1992.

lisme et liberté ». Faute d'avoir été entendu, ou pris au sérieux par des hommes influents comme Malraux ou Gide, il décide la dissolution du groupe dont l'efficacité est faible au regard des risques encourus par ses membres. L'écriture est alors un repli, non un renoncement. L'esprit résistant de Sartre n'a jamais faibli, et tous ses écrits en portent la marque. Demeure toutefois la situation objective ; et lorsqu'on entend juger, comme dans *Huis clos*, les êtres sur leurs actes et non selon leurs intentions, la vie sous l'Occupation est faite de nombreuses complaisances, variant de l'insouciance à la lâcheté. Par exemple celle d'enseigner, de publier, de se faire jouer, alors qu'on donne la chasse aux juifs dans les établissements scolaires, les maisons d'édition et les théâtres. *Les mouches* sont créées au théâtre de la Cité, ancien théâtre Sarah-Bernhardt débaptisé par les Allemands pour cause de judéité. La pièce est annoncée par une interview de Sartre à *Comoedia*, et par un article de Dullin dans *La Gerbe*, deux journaux collaborationnistes.

Cela étant dit, la confusion est pernicieuse, entre d'une part les écrivains résistants qui n'ont pas été des héros, et d'autre part ceux qui ont profité des privilèges que leur offrait l'Occupation, voire les écrivains qui ont ouvertement collaboré. Sartre n'a pas écrit d'ode au maréchal Pétain, il n'a pas fréquenté l'ambassade ni l'Institut allemands, il n'a pas fait de voyage à Berlin, il ne s'est pas fait le chantre des bergeries pétainistes, ni l'apologue de la jeunesse aryenne, pour ne citer que quelques hauts faits de très nombreux

1. In *Œuvres roma-nesques*, Paris, Gal-limard, 1981, Bibliothèque de La Pléiade, p. LVIII ; pour une mise au point sur le pro-blème, cf. I. Gals-ter, « *Les mouches* sous l'Occupa-tion », *Les Temps modernes*, nᵒˢ 531-533.

intellectuels et artistes français de cette période, et dont la faillite morale est acca-blante. Sartre s'est défini comme « un écri-vain qui résistait, et non pas un résistant qui écrivait[1] ». Si ses pièces ont été acceptées, c'est parce qu'elles n'étaient pas explicite-ment dirigées contre l'occupant et, comme il s'en explique en septembre 1944, il fallait « déguiser sa pensée sous un régime fasciste » (*TS*, p. 225). Quelles intentions se cachaient donc sous le masque de la tragédie ?

2. LA CRITIQUE IDÉOLOGIQUE

Tout d'abord, plusieurs indices fonc-tionnent comme des allusions à la situation présente. Dans un climat de suspicion géné-ralisée et de délation permanente, les « mouches » font référence aux espions. Elles sont partout, insaisissables, prêtes à bondir, insatiables mouchards dans une ville où règne la terreur. Précisément, Argos est diri-gée par un usurpateur qui a pris le pouvoir indûment. Égisthe, dirigeant illégitime, gouverne le royaume avec la complicité de Clytemnestre, la reine qui a trahi Agamem-non, tandis qu'Électre désire la vengeance et que, hors du royaume, Oreste l'exilé est le prétendant légitime sur qui reposent les espoirs d'une libération. La situation des Atrides correspond à celle de la France, gou-vernée par les Allemands avec la collabo-ration de Pétain, quand la résistance, dans les maquis et en Angleterre, espère une reconquête. De même, *Huis clos* renvoie clairement à une situation d'enfermement, celle du Stalag, ou celle de la France sous le joug nazi. Sartre avait d'abord imaginé des personnages murés dans une cave pendant les bombardements. L'enfer à trois, dans une pièce fermée, sans fenêtre, présente l'incarcération commune aux victimes.

LE MÉACULPISME

Mais plus profondément, les deux pièces, et surtout *Les mouches*, contiennent une critique idéologique du régime de Pétain.

Le terme d'« idéologie » est délicat à manier, dans la mesure où l'on refuse parfois de l'employer à propos de Vichy, sous prétexte qu'il n'y avait pas de théorie écrite, ni appliquée uniformément. Cependant aucune idéologie, dans son application politique, ne jouit d'une unité systématique. Et si l'on cherche à saisir un ensemble d'idées et de représentations, sur un plan théorique et pratique, alors il existe bien une idéologie de Vichy, dont Sartre stigmatise quelques traits. Les valeurs exaltées par la Révolution nationale, comme la discipline, le travail aux champs, la jeunesse, la famille, la tradition, supposaient une rédemption des anciennes fautes. C'est contre l'individualisme et la démocratie, contre l'argent et l'industrie que Vichy élabore un nouvel ordre moral[1]. La diffusion de ces valeurs s'est donc appuyée sur une vaste entreprise de culpabilisation. Si la France avait été battue, la faute en incombait aux régimes précédents, au parlementarisme et aux idées laxistes d'avant-guerre. Faisant allusion au Front populaire, Pétain demandait aux Français de payer leurs fautes.

1. Cf. R. O. Paxton, *La France de Vichy*, Paris, Le Seuil, 1973, p. 137-224 ; cf. Dossier, p. 157, Vichy et le méaculpisme.

Sartre veut démystifier cette imposture et lutter contre la résignation ambiante, contre ce qu'on a appelé le méaculpisme, conformément à ce mea-culpa collectif réclamé par le régime de collaboration avec l'occupant : « dans le moment même où nous allions nous abandonner au remords, les gens de Vichy et les collaborateurs, en tentant de nous y pousser, nous retenaient[1] ». Comme les Français, les habitants d'Argos sont invités à ressasser leurs crimes, à se repentir continuellement d'avoir péché, à entretenir la peur et la mauvaise conscience : lors de la confession publique, « chacun crie ses péchés à la face de tous ; et il n'est pas rare, aux jours fériés, de voir quelque commerçant, après avoir baissé le rideau de fer de sa boutique, se traîner sur les genoux dans les rues, frottant ses cheveux de poussière et hurlant qu'il est un assassin, un adultère ou un prévaricateur » (*M*, p. 140). C'est l'intérêt des dirigeants que d'encourager le repentir des hommes pour mieux les soumettre ; les Argiens sont des humains réduits à l'état de cloportes.

Les mouches symbolisent cette condamnation aux remords. Les Argiens doivent se faire pardonner leurs fautes imaginaires et même celles des autres, les « crimes officiels », les « crimes de fondation », autant de données qu'Oreste devra prendre en charge pour restaurer une humanité à Argos. À son arrivée, il découvre une population soumise et pénitente, coupable d'un péché originel qu'on a élevé au rang de valeur pédagogique ; la vieille qui renseigne Oreste lui explique que toute sa famille sacrifie au culte de la Faute : « Mon petit-fils, qui va sur ses sept ans, nous l'avons élevé dans la repentance : il

1. Cf. Dossier, p. 159, La France de la honte.

21

est sage comme une image, tout blond et déjà pénétré par le sentiment de sa faute originelle » (*M*, p. 115). Un Grec blondinet, une belle image d'Aryen. La purification raciale a déjà commencé, sous l'effet du méaculpisme.

LE CULTE DES ANCÊTRES

Cette jeunesse disciplinée d'Argos est éduquée dans un esprit de respect des ancêtres. Là encore, Sartre attaque les valeurs vichystes : le culte de la vieillesse, le culte des morts, le traditionalisme. La ville d'Argos est peuplée de « vieilles carnes » occupées exclusivement à leurs cultes ; les vieilles ont peur de l'étranger Oreste, elles ont perdu tout sens de l'hospitalité. Comme dans la France de Vichy, elles se replient sur la terre et les morts. La cérémonie annuelle organisée par Égisthe en est la caricature : à chaque anniversaire, on ouvre la caverne des morts pour qu'ils viennent hanter les vivants et leur demander des comptes. Les habitants illusionnés sont persuadés de la compagnie de ces morts vivants ; ainsi le mari trompé revient-il pour harceler sa veuve qui redoute ces retrouvailles funèbres : « Il sait tout à présent, on lui a gâché son plaisir, il me hait, il souffre. Et tout à l'heure, il sera contre moi, son corps de fumée épousera mon corps, plus étroitement qu'aucun vivant ne l'a jamais fait » (*M*, p. 151). Les noces macabres concourent au repentir et à la soumission ; les morts pénètrent les vivants et les empêchent de mener leur vie propre. Cette caverne magique d'où ils sortent communique avec les enfers dont *Huis clos* montre l'irréalité.

Certes, les deux pièces n'ont pas exactement la même visée politique et la deuxième aborde davantage la question des bilans que celle de l'action à mener. Mais le rapport au passé y est mis en scène selon une critique symétrique : il y a bien des morts en enfer, mais qui n'ont aucune portée sur le monde qu'ils ont quitté. Au contraire, ils sont à la merci des vivants qui les jugent sans qu'ils puissent se défendre. Sartre dénonce ainsi l'aliénation aux morts et montre que ce sont les vivants qui donnent un sens aux morts et non le contraire. Comme le déclare Électre, ces cultes sont des « mômeries », d'habiles mascarades, destinées au maintien de l'ordre. Préoccupation constante du régime autoritaire de Vichy, la stabilité sociale justifiait qu'on lui sacrifiât toute autre considération, de droit ou de morale. « C'est pour l'ordre que j'ai séduit Clytemnestre, pour l'ordre que j'ai tué mon roi ; je voulais que l'ordre règne et qu'il règne par moi. J'ai vécu sans désir, sans amour, sans espoir : j'ai fait de l'ordre » (*M*, p. 202). Égisthe est prêt à toutes les infamies pour faire respecter l'ordre social.

L'ORDRE MORAL

Associée à ce maintien de l'ordre, l'Église est aussi en point de mire de la critique de Sartre dans *Les mouches*. La morale de la pénitence, fondée sur le péché originel, trouve un terrain propice dans l'ordre nouveau, incarné par un régime autoritaire et paternaliste. La hiérarchie catholique a soutenu et encouragé Vichy, et Sartre, à travers les personnages de Jupiter et du grand prêtre, montre la complicité de l'Église. Le discours du grand prêtre, officiant sous la coupe d'Égisthe, comme les évêques sous celle de Pétain, est une démonstration de manipulation des foules. Usant du tam-tam comme d'une cloche, il accomplit le rituel morbide, jouant sur des valeurs chrétiennes qu'il détourne au profit des forts : la pitié, le pardon, la pénitence sont repris par le chœur familial des hommes, des femmes et des enfants, dans une messe à la mode vichyssoise.

La critique de Sartre a des allures nietzschéennes ; elle s'attaque aux fondements de la morale pour dénoncer les intérêts qui la fondent. Le tournant des *Mouches*, c'est-à-dire le moment où Oreste décide enfin d'agir et de revendiquer son nom (*M*, p. 173), repose sur une démystification des valeurs. Le Bien n'est plus le bien commun, une loi au-dessus des individus, à laquelle chacun doit se soumettre, mais un bien particulier, une valeur relative au service d'un pouvoir. « Je n'ai jamais voulu que le Bien, déclare Oreste. À présent je suis las, je ne distingue plus le Bien du Mal » (*M*, p. 178). La rupture intervient avec la désignation de l'intérêt sous-jacent au bien, avec le glissement de l'article générique à l'adjectif possessif : « Le Bien. *Leur* Bien... » (*M*, p. 179). Oreste ne reconnaît plus dès lors aucun devoir, aucune autorité. Les devoirs ne sont que les droits que les autres ont pris sur nous, comme l'affirme Nietzsche dans *Aurore*. Tout est vide, brusquement ; il n'y a plus de repères, plus de morale absolue. Le monde plein des valeurs s'évanouit pour laisser place à un espace pur où tout est possible, une scène déserte où inventer la norme. L'acte d'Oreste sera au-delà du bien et du mal[1], sans excuse ni légitimité *a priori*.

1. Ce sera l'enjeu principal du *Diable et le Bon Dieu*.

LE SAUVEUR

Le message politique de Sartre à ses contemporains se fonde ainsi sur la critique des valeurs de Vichy et débouche sur un appel à l'action. Les hommes doivent refuser l'ordre des dieux et des rois. Égisthe se laisse assassiner sans résistance, une façon de montrer que ce maître n'était qu'un roi de pacotille et que les dictateurs ne sont pas si difficiles à tuer. Jupiter propose à Oreste de gouverner à la place d'Égisthe à condition de se repentir, mais la véritable libération ne peut se satisfaire d'un changement d'homme. Sartre prend soin d'éviter ainsi le piège de la personnalisation. Opposer un libérateur au dictateur, ce serait rester dans le mythe du Sauveur dont Pétain s'est servi. Il dénonce tout paternalisme, comme celui de Jupiter qui soumet finalement Électre en s'apitoyant sur sa vie de petite fille. Contre l'infantilisme, Oreste requiert la responsabilisation de chacun. C'est à la fin de la première partie du deuxième acte, au moment de la décision, qu'il rencontre une tentation christique : il propose à Électre de prendre sur lui les terreurs d'Argos, de se sacrifier pour la liberté des hommes. Le modèle messianique est repris dans les paroles d'Électre qui rend grâce à la venue du fils tant espéré. Le départ final d'Oreste, emmenant avec lui les mouches du repentir, tels les rats de la ville emportés par le joueur de flûte de la légende de Hamelin, suit un schème identique. Cependant le sens christique est dévié. En effet, la concentration de l'action sur Oreste n'équivaut pas à un acte expiatoire ; le sang qui doit couler n'est pas le sien propre, mais celui des bourreaux. Et Oreste se compare à « un boucher en tablier rouge » ; il prend donc sur lui non toutes les fautes, mais tous les repentirs :

« ORESTE : Écoute : tous ces gens qui tremblent dans les chambres sombres, entourés de leurs chers défunts, suppose que j'assume tous leurs crimes. Suppose que je veuille mériter le nom de « voleur de remords » et que j'installe en moi tous leurs repentirs [...]

ÉLECTRE : Tu veux expier pour nous ?

ORESTE : Expier ? J'ai dit que j'installerai en moi vos repentirs, mais je n'ai pas dit ce que je ferai de ces volailles criardes : peut-être leur tordrai-je le cou » (*M*, p. 182).

Le héros vengeur n'est donc pas un sauveur. Car chacun est responsable de son salut. Fort de cette éthique exigeante, Oreste libère la révolte, mais il ne se substitue pas à l'action nécessaire des hommes. Il n'apporte pas non plus la sagesse mais la fièvre, celle qui fait lever les hommes brisant leurs chaînes. On ne peut se libérer que soi-même en assumant pleinement ses actes, comme Oreste à la fin des *Mouches*, refusant les alibis de Jupiter, comme Garcin à la fin de *Huis clos*, rejetant les flatteries d'Estelle.

Le message de Sartre nous semble clair aujourd'hui. Toutefois, cette critique de l'idéologie de Vichy et cet appel à la résistance n'ont pas toujours été entendus par ceux qu'ils visaient.

3. LES MALENTENDUS

La représentation des deux pièces a entraîné des malentendus sur leur sens politique, qui le plus souvent n'a même pas été soupçonné. Tel est logiquement le danger d'un message déguisé, qui doit à la fois satisfaire les censeurs et être compris implicitement par les spectateurs. Sartre avait déjà connu ce type d'ambiguïté avec *Bariona* : les occupants de la Palestine représentaient les Anglais selon les autorités du Stalag, et les Allemands selon les prisonniers. Il semble que la duplicité ait bien fonctionné puisque chacun a compris ce qu'il fallait, ce qui lui était destiné. Mais la réception ne répond pas toujours à cette partition réglée sur mesure. Pendant l'Occupation, les doubles sens touchaient tous les discours, indépendamment des intentions initiales. Parmi les équivoques célèbres, quelques phrases de *La reine morte*, comme « en prison se trouve la fleur du royaume » ou « on tue et le ciel s'éclaircit », ont suscité le scandale car elles semblaient justifier les attentats terroristes. De même, l'*Antigone* d'Anouilh a été perçue tantôt comme un plaidoyer pour la collaboration, puisqu'elle imposait la résignation au nom de la raison d'État représentée par Créon-Pétain, tantôt comme un appel à la résistance incarnée par la révolte d'Antigone contre l'ordre établi. Seules les pièces de divertissement, celles de Guitry ou d'Achard, ne prêtaient à aucune controverse, faute de prendre un risque quelconque.

Sartre est conscient de ces problèmes de réception, qui dépendent de nombreuses circonstances que l'auteur ne contrôle pas toujours. Ainsi, la mise en scène, les décors, les costumes orientent la compréhension. Le moment historique, le lieu de la représentation, la culture et la position sociale du public influent sur le sens, voire le constituent, comme le montre la sociologie de la réception. Ainsi, *Le silence de la mer* de Vercors, explique Sartre[1], contient un message résistant qui a été mal perçu par les Français émigrés, le portrait de l'Allemand étant par trop nuancé ; de même, après 1942, lorsque les occupants n'ont plus aucun souci de popularité, le sens résistant du roman a perdu de son acuité. Mais ce jugement de Sartre ne pourrait-il s'exercer à l'égard de ses propres œuvres ? Si l'on suit les témoignages de l'auteur et ceux de sa compagne, Simone de Beauvoir[2], le message est passé. Ils en fournissent la preuve : *Les mouches* et *Huis clos* ont été louées par un public de connaisseurs et de résistants, en revanche elles ont été dénoncées par les sbires de la collaboration. « Ce fut un éreintage rapide et total, les

1. In *Situations II*, Paris, Gallimard, 1948, p. 120.

2. Cf. Dossier, p. 147, La générale des *Mouches*.

recettes furent lamentables », déclare Dullin à propos des *Mouches* qui connurent une quarantaine de représentations. Ainsi les collaborateurs se seraient déchaînés contre un auteur résistant. Mais cette version des faits demeure une fiction commode. Car les critiques, si elles ont bien été virulentes, n'ont pas visé le message politique, mais l'immoralisme des deux pièces[1]. La démystification des valeurs de Vichy n'a pas passé la rampe.

Sartre est encore un jeune écrivain, novice au théâtre, et les chroniqueurs culturels condamnent l'univers délétère du romancier qu'ils croient retrouver dans ses pièces[2]. À propos des *Mouches*, Alain Laubreaux, le célèbre critique collaborationniste de *Je suis partout*, ridiculise les prétentions du nouveau dramaturge. Le futur « historien » André Castelot, dans le journal pro-allemand *La Gerbe*, traite Sartre d'auteur névrotique. Dans la presse théâtrale, on accuse Sartre de « fouailler une humanité qu'il déteste », d'avoir « une adoration épileptique pour la mort », ou encore une « obsession scatophagique », bien connue depuis ses premières publications : « On connaît M. Sartre, c'est un curieux professeur de philosophie qui, depuis *Le mur* et *La nausée*, semble spécialisé dans l'étude des fonds de culotte de ses élèves... Il possède une sorte de petite " claque " fidèle et chaque fois qu'il lève la jambe quelque part, dans un livre ou sur la scène d'un théâtre, une troupe menue de jeunes gens et de vieillards impuissants se charge d'y venir renifler, avant de manifester son contentement en agitant la plume sur le

1. Comme l'a montré I. Galster dans une étude très complète sur leur réception, *Le théâtre de Jean-Paul Sartre devant ses premiers critiques*, Paris, J.-M. Place, 1986.

2. Cf. M. Contat et M. Rybalka, *TS*, p. 223-240, A. Cohen-Solal, *op. cit.*, p. 276-295, et I. Galster, *op. cit.*

1. Pour toutes ces références, cf. A. Cohen-Solal, *op. cit.*, p. 283-285, et I. Galster, *op. cit.*, p. 93-175 et p. 205-272.

2. L'intrigue de *L'âge de raison*, dont Sartre termine la rédaction en 1941 et qu'il publiera après la guerre, repose sur un avortement.

papier. » Ce florilège[1] témoigne déjà de la haine suscitée continûment par Sartre chez les tenants de l'ordre, jusqu'à sa mort en 1980, plusieurs journaux honnissant le corrupteur de la jeunesse.

À l'égard de *Huis clos*, la critique poursuit sur le même registre moral. On accuse l'auteur de bassesse, de complaisance à l'égard des comportements louches. Sartre utilise en effet des situations qui peuvent paraître scabreuses aux yeux d'un public attaché à l'ordre moral[2]. Garcin est un déserteur, Inès une homosexuelle, Estelle une infanticide. Les critiques ne voient donc, dans *Huis clos*, qu'une histoire de ménage à trois. André Castelot, encore lui, dénonce l'immoralité aux autorités, et demande l'interdiction. François Chalais, le futur chroniqueur de cinéma, et qui écrit dans *L'Écho de la France* sous le nom de Bauer, crie au scandale devant ces personnages en « rut ». Brasillach, dans *La Chronique de Paris*, tout en reconnaissant la beauté de la pièce, y voit « le symbole d'un art lucide et pourri ».

En revanche, certains occupants semblent avoir apprécié les qualités dramaturgiques de Sartre. Deux journaux allemands évoquent ses pièces : *Signal* donne une critique plutôt favorable des *Mouches*, accompagné par le *Pariser Zeitung* qui analyse aussi *Huis clos* avec une certaine hauteur de vue. Une fois encore, le sens est dévié par les regards obliques des spectateurs qui interprètent comme bon leur semble des œuvres plus ou moins dérangeantes. Ainsi, une lecture nietzschéenne a pu entraîner la sympathie de quelques Allemands. Mais qu'elle ait pris les pièces trop au premier degré ou trop au second, la critique les a mal comprises.

Qui a donc vraiment reçu le message politique, l'appel à la résistance ? Les résistants eux-mêmes, déjà engagés : l'article de Michel Leiris[1], paru clandestinement dans *Les Lettres françaises*, a parfaitement saisi l'enjeu des *Mouches*. Des spectateurs antiallemands ont cru voir, dans le décor de *Huis clos*, une cellule de prison, et ont assimilé les Autres aux Boches. Cocteau, Genet ont particulièrement apprécié la pièce, et Sartre a été reçu, sinon comme un auteur résistant, du moins comme un des futurs grands dramaturges français.

Si le sens des œuvres ne se réalise qu'en contexte, la postérité de ces deux œuvres manifeste pleinement leur richesse, mais aussi les nouvelles fortunes de leurs significations. *Les mouches* ont été reprises en 1947, cette fois-ci en Allemagne, dans la zone occupée française. Sartre y maintient sa condamnation du remords, et affirme la nécessité, pour les Allemands de l'aprèsguerre, de construire un avenir au lieu de ressasser la culpabilité du passé. Il récidive en 1948, lors d'une représentation à Berlin, avec une mise en scène qui évoque les camps de concentration. Face à des critiques politiques, notamment des communistes, Sartre défend le sens de la pièce dans son contexte. Il se déplacera plusieurs fois pour assister aux premières de la pièce, en Pologne en

1. Cf. Dossier, p. 206, Michel Leiris.

1957, et en Tchécoslovaquie en 1968, et sera toujours aux prises avec des enjeux nouveaux, nés des contextes inédits de la représentation. De même, *Huis clos*, joué en mai 1944 à la fin de l'Occupation, est repris en septembre, à la Libération. La pièce prend ainsi une nouvelle actualité, dans une situation où les coupables doivent répondre de leurs crimes et se soumettre au jugement des autres. Interdite par la censure anglaise en 1946, élue meilleure pièce étrangère aux États-Unis en 1947, *Huis clos* connut des adaptations très diverses, notamment cinématographiques[1].

Ces réceptions si diverses rappellent combien la signification politique de ces pièces, à laquelle tenait Sartre, est sujette à des transformations qui échappent à la maîtrise de leur auteur, condamné à courir derrière le sens qui s'échappe, quitte à refuser parfois qu'on joue ses pièces[2]. Cette dispersion témoigne de la pertinence d'une œuvre à incarner les espoirs et les révoltes d'une époque, les interrogations et les projets humains. Les malentendus touchant aux deux pièces proviennent de leur sens plurivoque et de la relation que Sartre a tenté de repenser entre l'auteur et le spectateur, cherchant un nouveau mode de communication. Pour prendre la mesure de son entreprise, il importe de situer son projet dans l'histoire littéraire : Sartre s'inscrit dans une continuité dramaturgique et il inaugure un nouveau mode de représentation, avec un théâtre d'idées.

1. Avec, entre autres réalisations, un film de Jacqueline Audry dans lequel jouait Arletty, et une version télévisée de Michel Mitrani en 1965, avec Michel Auclair, Judith Magre et Évelyne Rey.

2. Comme ce fut le cas pour *Les mains sales*.

4. UN THÉÂTRE DE L'UNIVERSEL SINGULIER

La tragédie et les mythes grecs sont à la mode pendant l'Occupation. Eschyle et Euripide font l'objet de nombreuses reprises. On joue *Iphigénie à Aulis, Iphigénie en Tauride*. Les mythes sont représentés tant avec le théâtre antique qu'avec les pièces classiques. La *Phèdre* de Racine connaît ainsi un grand succès, mise en scène par Jean-Louis Barrault, avec des costumes crétois. À quoi tient cette vogue ? Peut-être au déterminisme à l'œuvre dans ces pièces. Les Allemands encourageaient ainsi la résignation face au destin : la victoire des nazis, l'échec des Français obéissaient à la fatalité. Peut-être aussi la civilisation antique fut-elle promue par l'exaltation nazie des imageries grecques : le paganisme, le culte de l'athlète, l'éducation spartiate... Cette apologie du destin comporta parfois des exceptions, et certains utilisèrent la mythologie à rebours, pour en dénoncer l'illusoire déterminisme. Ainsi Lucien Fabre, avec *Dieu est innocent*, reprend le mythe d'Œdipe afin de dénoncer toute idée de prédestination et mettre en valeur le libre arbitre humain. Sartre n'est donc pas le seul à vouloir renverser l'esprit de la tragédie pendant l'Occupation.

À LA MANIÈRE DE GIRAUDOUX

Toutefois, la reprise des œuvres grecques n'est pas l'exclusivité de cette période. De nombreuses adaptations des mythes antiques ont été déjà tentées avant-guerre. Cocteau avec *La machine infernale* (1934), Giraudoux avec *La guerre de Troie n'aura pas lieu* (1935), pour ne citer que les plus célèbres, ont précédé Sartre et Anouilh. Et la dette de l'auteur des *Mouches* à l'égard de ces précurseurs est évidente. En 1937, l'*Orestie* est reprise dans une adaptation d'esprit très libre, l'*Électre* de Giraudoux. Les dieux y sont représentés par les Euménides, des Érinyes devenues bienveillantes sous l'égide d'Athéna. Ces divinités donnent lieu à une parodie de destin et sont déjà appelées des « mouches ». Mais surtout, Giraudoux utilise les Atrides dans une perspective historique et, par son interprétation, propose au public d'avant-guerre une réflexion sur la vengeance. L'opposition entre Égisthe et Électre n'est pas sans rappeler le conflit franco-allemand et l'esprit de revanche qui anime l'outre-Rhin. Par une version originale d'Égisthe qui n'est plus la symbolisation traditionnelle du mal et de l'injustice, Giraudoux, dans un esprit pacifiste, semble indiquer la possibilité d'un accord, d'une conciliation entre les droits. La pièce déploie ainsi de nombreuses oppositions entre, d'un côté, l'Honneur, la Vérité, la Mort, le Malheur, incarnés par Électre, et de l'autre, le Compromis, le Relatif, la Vie, le Bonheur, incarnés par Égisthe. Sartre trouve donc là une adaptation politique et philosophique de l'*Orestie*, en même temps qu'une liberté prise à l'égard de l'esprit tragique[1].

1. Cf. Dossier, p. 184, L'aurore tragique.

34

Mais c'est aussi dans la liberté de ton que Sartre s'inspire de Giraudoux, aussi bien avec *Les mouches* qu'avec *Huis clos*. Il joue notamment sur les anachronismes, chers à l'auteur d'*Électre*. Oreste et le pédagogue sont ainsi présentés comme des « touristes » visitant Argos. Égisthe est un « ruffian de sacristie », et lorsqu'il arrive, les Argiennes arrangent le nœud de cravate de leur marmot. Sartre alterne les références antiques et la réalité triviale du présent. Encore pétri de culture scolaire, il glisse quelques allusions homériques par la bouche de Jupiter qui cite Télémaque et Mentor. Par ces clins d'œil, Sartre reprend à Giraudoux son art du décalage. Le lexique familier y contribue : ainsi les maisons d'Argos « tournent vers la rue leurs culs », et les soldats du palais discutent des « larges fesses » d'Agamemnon et de leur poids sur le trône. Ces décalages de ton brisent l'austérité du tragique et instaurent une complicité d'humour avec le public. En cela, Sartre reprend un tragique beaucoup plus shakespearien, qui ne recule pas devant les grossièretés et les calembours, les scènes de rue et la présence du populaire.

Cet humour est aussi manifeste dans *Huis clos*. Au début de la pièce, Garcin, à peine arrivé en enfer, se préoccupe de trouver une brosse à dents ; le dérisoire du quotidien côtoie ainsi le tragique de la mort. De même, l'enfer est comparé par Inès à un restaurant coopératif où l'on fait soi-même le service. De nombreuses remarques sont à double sens et prennent ainsi un tour comique : Estelle, soucieuse de son maquillage, utilise son rouge à lèvres pour se faire « une bouche d'enfer ». Sartre utilise fréquemment l'humour noir, jouant sur l'inanité du mot « vivre », ou sur la gêne causée par la promiscuité des personnages ; « je ne suis pas un mort de bonne compagnie », s'excuse Garcin. Le décalage vient aussi de la situation et Sartre s'amuse, comme Giraudoux, à glisser quelques dialogues vaudevillesques. La réunion des trois personnages s'y prête déjà ; mais, surtout, les différences sociales y concourent : sur terre, Inès était une employée des postes, tandis qu'Estelle fréquentait le beau monde. Cherchant à comprendre pourquoi on les a rassemblés, Estelle, très chic, interroge ses codétenus : « vous connaissez peut-être les Dubois-Seymour », châtelains de Corrèze.

THÉÂTRE ET MYTHE

Sartre s'inscrit donc dans une continuité littéraire, en reprenant une certain style français de l'adaptation des mythes tragiques. Cependant, le théâtre qu'il entend développer ne saurait se contenter d'un plaisant divertissement littéraire. Le choix d'un style participe d'une conception plus vaste des rapports du réel et de l'imaginaire. La création dramaturgique de Sartre va en effet de pair avec une réflexion sur l'essence du théâtre. À cet égard, le mythe ne se réduit pas à un motif, ni à une fantaisie scénique. Il s'agit ni plus ni moins que de saisir la réalité sociale et historique globale au sein d'une totalité imaginaire, dans la relation dynamique d'un public à l'espace théâtral. Le souci d'ancrer la dramaturgie dans la réalité vécue des spectateurs n'est donc pas compatible avec un quelconque réalisme jouant sur l'illusion d'une reproduction transparente. La réalité de la scène n'est pas celle du monde et la fusion souhaitée par le dramaturge ne doit pas entraîner la confusion du réel et de l'imaginaire. Assumant l'artifice théâtral, la création dramatique a pour mission, selon Sartre, de subsumer le particulier pour atteindre le général. Elle remplit cette tâche par les moyens qui lui sont propres : si la philosophie accomplit cette opération de synthèse grâce au concept, le théâtre la réalise par le mythe. C'est dire que le théâtre sartrien n'est ni « conceptuel » ni « intellectuel » ; il n'explique rien, et si la vérité existe, « l'homme de théâtre n'a pas à la dire, mais à la montrer » (*TS*, p. 82). L'ambition de Sartre est de ménager ainsi une catharsis sociale, reprenant une fonction définie par Aristote, et lui donnant une dimension collective. Dans une conférence de 1944 sur « Le style dramatique », il affirme sa volonté de saisir l'homme, sa condition, sa relation au monde, grâce aux mythes. La naissance de Jésus, l'Orestie, l'enfer sont ainsi choisis pour leur dimension mythique, c'est-à-dire pour leur capacité à incarner, dans leur structure, les représentations du temps présent.

Le spectacle requiert à la fois une distance et une participation du spectateur. La distance est nécessaire pour éviter tout effet de sympathie à l'égard d'un personnage ou d'une « histoire » trop particulière. Cherchant à favoriser un recul critique, Sartre est proche des conceptions dramaturgiques de Brecht qu'il appréciera bientôt. Toutefois, la participation qu'il appelle ne se réduit pas à un regard lucide et extérieur au déroulement de l'action dramatique. Sartre souhaite non seulement montrer, mais aussi émouvoir, car la matière littéraire est aussi bien sensible qu'intelligible, et le dramaturge doit mettre en œuvre les deux registres, afin que le spectateur comprenne le sens au cœur même de ce qu'il ressent. Là encore, le mythe autorise ce type de concours. Le spectateur des *Mouches* peut s'identifier à Oreste, à titre d'incarnation imaginaire, mettant ainsi à distance une dimension de lui-même : il est Oreste comme ce qu'il n'est pas. Dans le même temps, l'identification ne se limite pas au seul personnage, elle est incarnation de tout ce qui fait Oreste, de l'ensemble des relations d'Oreste au monde. À cette fin, la mise en scène des *Mouches* par Dullin avait l'ambition de retrouver la « distanciation » propre à la tragédie grecque avec un décor archaïsant, et d'intégrer le public à cet univers par un puissant conditionnement sonore. Le théâtre mythique propose donc un mythe en même temps qu'il sollicite une démystification. Universel et singulier, la présentation du mythe doit éviter deux écueils : celui de la fable qui reste dans le particulier, et celui de la mythologie qui traite l'histoire en extériorité. La participation critique du spectateur ne peut s'exercer qu'à partir d'une intériorisation de l'action présentée sur scène.

UN THÉÂTRE D'IDÉES

Ces exigences témoignent de la défiance de Sartre à l'égard d'une littérature par trop allégorique. Le théâtre sartrien — il faut le rappeler contre un préjugé tenace — n'est pas un théâtre à thèse. La littérature n'a jamais été, dans la conception et la pratique de Sartre, un moyen, un support commode pour vulgariser des idées. Elle est au contraire une fin, non selon une acception esthétisante ou formaliste, mais dans la mesure où elle contient le monde, l'époque, et que le sens s'y accomplit le plus totalement. Certes, *Les mouches* et *L'Être et le Néant* ont été conçus et publiés en même temps, et l'on retrouve aussi bien dans *Huis clos* de nombreuses idées exposées dans l'ouvrage philosophique. Certes, Sartre a souvent accordé plus d'importance au texte écrit de ses pièces qu'à leur représentation scénique. Mais si la liberté, la mauvaise foi, l'altérité sont des notions reprises dans ces deux pièces, elles ne sont en aucun cas présentées à titre de démonstration et les mythes ne viennent jamais les exemplifier. *Huis clos* n'est pas un symbole de *L'Être et le Néant*, tient à préciser Sartre, « les spectateurs croient qu'il y a *quelque chose à comprendre*. Il n'y a rien du tout[1] ». Nul besoin de chercher un sens caché, de repérer derrière les paroles des entités abstraites. Maurice Blanchot l'a nettement précisé à propos des romans de Sartre[2] : la littérature n'a rien à craindre des idées, à condition que ces idées ne s'expriment pas au détriment de la matière litté-

1. *Situations IX*, Paris, Gallimard, 1972, p. 10.

2. M. Blanchot, *La part du feu*, Paris, Gallimard, 1949.

raire. D'ailleurs, tout écrit manifeste, volontairement ou non, des idées ; faudrait-il que les écrivains les expriment sans en avoir conscience ? Sartre n'a pas cette naïveté.

Son théâtre consiste en une double mise à l'épreuve des notions philosophiques : tout d'abord au sein d'une situation fictive et concrète, la vengeance d'Oreste, la haine d'Électre, l'enfermement et les souvenirs de Garcin, Inès et Estelle ; ensuite, au contact d'un public qui, diversement selon les époques, reçoit ces propositions. Le dramaturge n'impose pas ses idées, il les met en scène, les donne aux regards qui les intérioriseront, quitte à en assumer les déviations. Les personnages ne sont pas des personnifications d'idées, mais des consciences au sein desquelles se jouent des conflits, qui trouvent des issues, qui perdent ou gagnent selon le jugement qu'on porte sur leurs actions. En cela, Sartre reprend la réflexion hégélienne dans l'*Esthétique* sur la passion tragique : la tragédie antique propose des conflits de droit, dans leur radicalité et leur légitimité. Le dramaturge ne prend pas explicitement parti pour telle ou telle thèse ; il en expose l'affrontement brutal. C'est donc en contexte que les idées peuvent s'incarner, et répondre aux interrogations des hommes qui les investissent de leurs préoccupations contemporaines.

II LA TRAGÉDIE DE LA LIBERTÉ

1. L'ACTE NU

Les idées mises en scène ne sont pas des idéalités, mais se réalisent en actes. À cet égard, Sartre renouvelle aussi la conception du dramatique, revenant au sens fort du *drama*. Son théâtre se fonde sur une réflexion quant à l'action, ses mobiles, son accomplissement, et sa représentation. Lorsqu'il se prononce pour un théâtre d'action, il ne s'agit nullement d'aventures ni de rebondissements spectaculaires. Au contraire, la dramaturgie sartrienne aspire au dépouillement, à la simplicité la plus élémentaire. L'action requise se concentre sur un acte choisi, qui doit se manifester dans une épure. La scène se réduit à un espace désert, une place nette, pour que surgisse l'événement. En prônant cette rigueur, lors de la conférence de 1944 (*TS*, p. 22), Sartre tourne le dos à la psychologie du théâtre de caractères.

LE THÉÂTRE DES CONSCIENCES

En effet, les personnages sartriens ne réagissent pas selon des sentiments, ils ne sont pas prédéterminés par des traits personnels. Ce sont des consciences qui jugent. « Je ne suis rien que le regard qui te voit, que cette pensée incolore qui te pense » (*HC*, p. 91), déclare Inès à Garcin. Ils se présentent à nu, sans ego caché que le spectateur pourrait découvrir. Le personnage se fait sous les yeux du public. L'action se distingue donc des gesticulations : le théâtre de Sartre ne joue pas sur le spectaculaire, ni sur les artifices de la comédie. Si la critique lui a souvent reproché une certaine lourdeur ou des effets trop soulignés, cela tient justement au refus des fioritures, du langage poétique ou des digressions qui permettent d'« enrober » l'action. Sartre préfère mettre l'acte à nu, et le dépouiller de ses motifs. À propos des *Mouches*, il reconnaît à Dullin de lui avoir enseigné cette austérité : « Mon dialogue était verbeux ; Dullin, sans m'en faire reproche ni me conseiller d'abord des coupures, me fit comprendre, en s'adressant aux seuls acteurs, qu'une pièce de théâtre doit être le contraire d'une orgie d'éloquence, c'est-à-dire : le plus petit nombre de mots accolés ensemble, irrésistiblement, par une action irréversible et une passion sans repos » (*TS*, p. 227-228). Sartre va ainsi abandonner les phrases trop « écrites », et les bons mots à la Giraudoux, dont il reprend et détourne l'héritage.

Huis clos correspond, davantage que *Les mouches*, à cette dramaturgie. Si quelques tenants du nouveau roman ont vu dans *La nausée* un texte précurseur, *Huis clos* peut être considéré comme une pièce inaugurant une rupture qui inspirera les auteurs de l'antithéâtre : Sartre y refuse toute intrigue ; adoptant une structure circulaire, il vide la scène de ses décors superflus et parodie les scènes de boulevard. La sobriété vient déjà du faible nombre des personnages. Étonnés de ne trouver aucun bourreau en enfer, les condamnés comprennent ainsi la situation : « ils ont réalisé une économie de personnel » (*HC*, p. 42). La formule avait d'ailleurs quelques connotations contemporaines, à une époque où l'on restreint au maximum les dépenses. Sartre le déclare à la Libération : le public de l'après-guerre a besoin d'un théâtre austère. La règle des trois unités est reprise au plus serré, avec un espace réduit, un temps aussi bien infini que concentré sur un instant, et une seule action. La représentation de *Huis clos* dure environ une heure vingt, selon les indications de l'auteur, en un seul acte et très peu de mouvements puisque, une fois entrés, les trois personnages principaux ne sortent plus. La construction de la pièce, avec une hypertrophie de la scène 5, présente une action en continu, sans interruption externe, et les combinaisons entre les personnages ne viennent jamais d'une disposition scénique, mais de l'évolution des relations interindividuelles. Sartre n'a recours à aucune péripétie, livrant au spectateur une scène dépouillée, comme le fera plus tard Beckett. De même, les objets ont perdu à la fois leur valeur décorative et leur valeur d'usage. Ainsi le coupe-papier ne sert plus à rien puisqu'il n'y a rien à couper ; il n'a même aucune efficacité lorsque Estelle s'en empare pour tuer Inès. Et si les objets peuvent encore détenir quelque importance, c'est par défaut : ainsi des miroirs dont l'absence oblige les personnages à s'inventer des reflets.

Le dépouillement des objets s'accorde

avec le déshabillage des consciences. Comme pour les êtres humains, l'essentiel a laissé place à l'existentiel. La situation des personnages de *Huis clos* vise à mettre entre parenthèses tous les acquis, toutes les expériences, toutes les références coutumières, au point que rien ne va plus de soi. D'où la continuelle interrogation, la litanie du pourquoi dès le début de la pièce : pourquoi se brosser les dents, pourquoi se regarder dans une glace ? L'enfermement a pour effet la mobilisation permanente des consciences obligées de remettre en question leur existence même. La lumière continue, l'absence de nuit et de rêve contraignent les personnages à la confrontation brutale. Tous attendent un sens qui vienne de l'extérieur, mais aucune manifestation divine n'apporte une justification[1]. Le théâtre sartrien est un théâtre existentiel, plutôt qu'existentialiste : il ne cherche pas à prouver quoi que ce soit, il met en scène, sans masque, l'« obscène et fade existence » (*M*, p. 238).

1. Beckett reprendra la situation dans *En attendant Godot*.

RÉVOLTE ET SACRIFICE

Sur la base de ce dépouillement, l'accomplissement de l'acte prend toute sa force. Pour en montrer le caractère irréversible, la construction des pièces ménage un crescendo qui radicalise progressivement le choix d'un personnage. Sartre joue sur la tension tragique, toutefois il ne la fonde pas sur l'exacerbation des passions, mais sur la clarification de l'acte, la concentration des consciences. Dullin, explique Sartre, « avait

de la tragédie grecque une idée complexe :
une violence sauvage et sans frein devait s'y
exprimer avec une rigueur toute classique. Il
s'efforça de plier *Les mouches* à cette double
exigence. Il voulut capter les forces dionysiaques et les organiser, les exprimer par le
jeu libre et serré d'images apolliniennes[1] ».
Cette conception toute nietzschéenne s'har-
monise pleinement avec la rigueur théâtrale
à laquelle Sartre aspire. L'opposition du noir
et du blanc y prête déjà dans la disposition
hiératique des conflits entre Électre et
Égisthe. Les Argiens sont tous vêtus de noir,
en signe de deuil, et la fille d'Agamemnon
vient défier les imposteurs en s'habillant de
blanc pour la cérémonie des morts. En disant
non à la tyrannie du troupeau et oui à la vie[2],
elle manifeste ainsi la relève d'Argos, dont le
nom renvoie à la brillance, à la blancheur et à
la lumière.

Sa révolte s'exprime ainsi dans la pureté de
sa présentation, chargée du sens à la fois tragique et politique du geste. Clytemnestre lui
a prédit qu'elle commettrait un crime
« sombre et pur comme un cristal noir » (*M*,
p. 142). Depuis la première scène, la violence
sourd, et plusieurs éléments maintiennent
une pression criminelle, que ce soit les cris
aux abords du palais, l'hostilité des habitants, ou le rappel du régicide. Lorsque
Oreste, après avoir longuement tergiversé,
décide d'agir, les événements se déroulent
avec une implacable logique : « À présent les
instants vont s'enchaîner comme les rouages
d'une mécanique, et nous n'aurons plus de
répit jusqu'à ce qu'ils soient couchés tous les

1. Cf. Dossier,
p. 185, La mise en
scène du tragique.

2. Cet impératif
nietzschéen que
l'on trouve aussi
dans les œuvres
contemporaines de
Camus, et dans sa
« pensée de midi ».

deux sur le dos » (*M*, p. 184). De fait, Oreste accomplit son acte sans hésiter, frappant plusieurs coups, sans pitié ni remords.

Sartre reprend là les effets d'annonce connus de la tragédie qui scandent régulièrement les arrêts du destin. Mais cette mécanique se distingue de celle qu'Anouilh parodie dans *Antigone*, ce ressort tragique bien huilé qui se déroule avec une désespérante tranquillité[1]. Dans *Les mouches*, la logique est gouvernée par la conscience, et elle prend une valeur sacrificielle dans la mesure où elle incarne la violence de toute une cité. Agamemnon a été tué avec la complicité du peuple qui s'ennuyait ; au moment du meurtre, « la ville tout entière était comme une femme en rut » (*M*, p. 112), se souvient Jupiter, ce que confirme une vieille Argienne qui se repent, avec sa famille, par le sacrifice annuel d'une vache. De même, le défi d'Électre devant le temple entraîne la colère du peuple qui veut la lyncher. Cette envie de sacrifice, cette recherche constante d'un bouc émissaire, aboutit au crime d'Égisthe et de Clytemnestre : Oreste a rassemblé cette violence éparse et diffuse, il s'est chargé de l'exprimer, et il la résume dans son acte qui donne une issue, un ordre, une unité aux fureurs de la horde.

1. Cf. Dossier, p. 184, La mécanique silencieuse.

RIEN QU'UN HOMME

Le risque d'une telle construction, synthétisant les données de l'histoire dans un acte pur, est d'accentuer l'individualisation du personnage. Même si Oreste ne devient pas une entité psychologique, son meurtre se détache au point de prendre une dimension héroïque. Sartre ne souhaitait pas présenter un héros, mais le sacrifice ultime et solitaire d'Oreste l'apparente à de grandes figures théâtrales : à Hamlet[1] — rapprochement encouragé par la filiation avec l'*Orestie* — ou à Lorenzaccio[2]. La représentation d'Oreste en héros romantique, maudit et solitaire, trahit les intentions de Sartre[3], car elle est incompatible avec la présentation brute de l'existence, dépouillée de ses artifices littéraires. L'acte d'Oreste incarne une libération individuelle, mais il ne réalise pas cette libération pour les autres, ni avec eux. Il n'est pas un modèle, et il laisse la cité vide : Oreste ne remplit pas l'espace et n'installe aucun nouveau pouvoir. La violence est ici une violence cristallisée sur un homme devant d'autres hommes, elle n'est pas encore la violence fusionnelle d'un homme au sein du groupe qu'étudiera la *Critique de la raison dialectique* (pour l'heure, la question n'est résolue ni philosophiquement, ni historiquement pour les résistants). Faute d'une problématique de l'individu et du pouvoir collectif, la présentation de l'acte encourt le risque de l'héroïsation. C'est pourquoi Sartre remédie à ce danger avec *Huis clos*, dont les personnages ordinaires font plus souvent preuve de lâcheté que d'héroïsme. La pièce montre aussi le caractère irréversible de l'acte, mais davantage sur le mode de la culpabilité. Les personnages doivent progressivement se résoudre à avoir agi, et à porter la responsabilité de leurs actions. Là

1. Cf. Dossier, p. 175, L'hésitation.

2. Cf. Dossier, p. 176, La résolution, et p. 178, L'issue.

3. Le même problème se pose avec Hugo dans *Les mains sales*.

47

encore, la présentation vise à exhiber l'acte pur, débarrassé de ses alibis. Avec Garcin, Sartre fait précisément la satire du héros :

« GARCIN : Je dirigeais un journal pacifiste. La guerre éclate. Que faire ? Ils avaient tous les yeux fixés sur moi. " Osera-t-il ? " Eh bien, j'ai osé. Je me suis croisé les bras et ils m'ont fusillé. Où est la faute ? Où est la faute ?

ESTELLE, *lui pose la main sur le bras* : Il n'y a pas de doute. Vous êtes...

INÈS, *achève ironiquement* : Un Héros » (*HC* 40).

Toute la pièce vise à démystifier cet héroïsme, et à montrer que Garcin a fui par lâcheté et non par courage politique. Le personnage est sans cesse hanté par le souvenir de Gomez dont il redoute le jugement : Gomez était déjà la mauvaise conscience de Mathieu dans *L'âge de raison*, celle de Sartre regrettant de n'avoir pas combattu aux côtés des républicains espagnols[1]. La figure de Gomez vient continuellement saper les tentatives de portrait en pied, elle ronge la statue que Garcin voudrait édifier. Ainsi le théâtre de Sartre ne présente pas de personnage héroïque auquel le spectateur pourrait s'identifier par admiration ou fascination. Certes, les deux pièces assument un héritage formel qui laisse place à l'héroïsation, Sartre ne s'étant pas dégagé des constructions classiques de la dramaturgie. Dès lors, cette démystification de l'héroïsme repose sur la mise en scène qui, si elle ne trahit pas l'intention originelle, doit montrer des hommes qui agissent ou ont agi, incarnant des contradictions et des choix de leur époque : telles

1. Cf. Dossier, p. 149, L'histoire au-delà des Pyrénées.

les sculptures dépouillées et fulgurantes de Giacometti, ou encore tels que Sartre se définit lui-même dans *Les mots* « tout un homme, fait de tous les hommes et qui les vaut tous et que vaut n'importe qui[1] ».

1. *Les mots*, Paris, Gallimard, 1964, p. 214.

2. L'ENVERS DU DESTIN

Fort de cette réflexion sur le mythe et l'action, Sartre opère un véritable retournement de l'esprit tragique, en lui donnant une interprétation radicalement opposée à celle de la tradition littéraire. La tragédie, explique-t-il, ne présente pas l'accomplissement d'un destin, mais au contraire la manifestation d'une liberté : « La fatalité que l'on croit constater dans les drames antiques n'est que l'envers de la liberté[2]. ». Il n'y a pas d'incompatibilité entre la liberté et la contrainte. Sartre refuse l'alternative classique entre, d'une part, la nécessité, qui implique un déterminisme de tous les comportements, et d'autre part, le libre arbitre, qui affirme la possibilité d'une action inconditionnée. Pour Sartre, la liberté n'existe qu'en situation, dans l'exacte mesure où la conscience n'est pas un ego rationnel indépendant de toute expérience du réel. Prenant appui sur la phénoménologie de Husserl, il affirme l'intentionnalité de la conscience, toujours conscience *de* quelque chose. Dès lors, la conscience située doit sans cesse choisir son rapport à la situation, l'accepter, la refuser, la modifier... Elle ne peut jamais se dérober à la nécessité du

2. Cf. Dossier, p. 181, La tragédie de la liberté.

49

choix : la conscience est *condamnée* à être
libre[1].

LA LIBERTÉ TRAGIQUE

Là réside le tragique de l'humain. Si Oreste
ou Œdipe ont un destin, c'est celui de la
liberté, et qui consiste à choisir d'accepter ou
non la fatalité. Certes, l'accomplissement est
connu dès le départ, et l'on sait par Tirésias
qu'Œdipe tuera son père et épousera sa mère,
comme l'on sait par le rêve de Clytemnestre
que son fils la tuera. Mais le sens de ces actes
reste ouvert. Il appartient entièrement à
Oreste ou Œdipe d'en faire une marque de
l'obéissance aux dieux, ou d'assumer les
meurtres, de les prendre à leur compte,
quitte à leur donner une nouvelle signification par des intentions inédites ou par les
conséquences qu'ils en tirent.

Et s'ils sont des « héros » tragiques, se distinguant du commun des hommes condamnés comme eux à la liberté, cela tient au
fait qu'ils vivent des situations limites. Une
situation ordinaire fait intervenir de nombreux facteurs qui viennent nuancer la décision et diluer la force du choix. En revanche,
la situation limite met en jeu une opposition franche entre deux solutions, pour lesquelles n'existe aucun compromis. Tel est
le sens de la formule quelque peu provocatrice de Sartre à la Libération : « Jamais
nous n'avons été plus libres que sous l'occupation allemande[2]. » Si l'on entend la
liberté comme l'obligation de choisir, vu la
radicalité de la situation, l'occupé était pour

ou contre les Allemands, sans tergiversation possible. La prison ne supprime pas l'essence de la liberté. « Si tu oses prétendre que tu es libre, déclare Jupiter à Oreste, alors il faudra vanter la liberté du prisonnier chargé de chaînes au fond d'un cachot, et de l'esclave crucifié. » « Pourquoi pas ? » répond l'insurgé (*M*, p. 227).

La situation limite se définit aussi par le fait qu'elle engage toute une vie dans le choix qui est pris. Elle n'autorise pas une liberté partielle qui n'engagerait qu'un moment ou qu'un aspect de l'existence. C'est tout l'homme, son identité, son passé qui se trouvent en jeu dans un choix particulier. Ainsi la situation est-elle une requête, elle implique l'identification de la conscience à sa décision. Oreste se définit par le choix de tuer Égisthe et Clytemnestre. L'héroïsme consiste à fonder ce choix sur l'affirmation de la liberté. Certes, tout homme est libre, et manifeste sa liberté dans ses choix, mais le « héros » est prêt à confondre le choix et la liberté. Dans une situation limite, l'alternative suppose, pour l'un de ses termes, le sacrifice de soi. Ainsi la liberté se manifeste-t-elle d'autant plus héroïquement qu'elle organise elle-même son sacrifice pour se préserver : « la liberté se découvre à son plus haut degré puisqu'elle accepte de se perdre pour pouvoir s'affirmer » (*TS*, p. 20). Ainsi, la conscience, affirmant sa liberté par la négation, exerce sa négativité à l'encontre d'elle-même.

Les scènes d'exposition, conformément à l'usage classique, mettent en place la situation, mais entendue au sens sartrien, comme champ de possibles. Dans *Les mouches*, les premières scènes apportent les informations sur l'intrigue, et c'est l'intention des consciences qui leur donne un sens en les disposant pour un choix. Électre, à la fin du premier acte, présente l'alternative qui va obliger Oreste à choisir, elle délimite la situation. Ensuite, le parcours d'Oreste au sein de cette situation dont il prend progressivement la mesure correspond au dévoilement de la liberté humaine, de son pouvoir dévastateur. Sartre reprend ainsi le mouvement de la déclaration dans la tragédie classique, pour transformer la découverte du destin en révélation de la liberté comme essence humaine. « Je *suis* ma liberté » (*M*, p. 235), déclare Oreste à Jupiter qui observe là un langage « neuf » et « choquant ». Tout devient clair pour Oreste qui a franchi les voiles de l'ignorance et découvre la vérité d'une existence contingente. « La liberté a fondu sur moi et m'a transi » (*M*, p. 236) de cette façon qu'a le Néant de transir l'Être, lorsque la conscience libre remet en cause ce qu'elle est déjà pour se projeter dans ce qu'elle n'est pas encore. Oreste se retrouve « comme quelqu'un qui a perdu son ombre » (*M*, p. 236), sans plus d'arrière-monde pour le justifier, en pleine lumière, délivré des puissances obscures.

Le héros tragique n'est plus cet homme du malheur qui obéit contre son gré à la nécessité, qui lutte vainement contre son destin. Au contraire, il découvre sa puissance au royaume de la liberté[1]. Oreste n'est pas le roi

1. Cf. Dossier, p. 189, Liberté et responsabilité.

d'Argos, mais « un roi sans terre et sans sujets » (*M*, p. 246) ; il n'exerce aucun pouvoir sur les autres, et n'impose pas la liberté. Oreste n'est pas Jean-sans-terre ; s'il a été privé d'une terre, il n'entend pas remplacer le roi. Car la liberté ne s'entend pas en termes de sol ; elle est une essence et un principe. La tragédie ne montre plus l'éternel retour de la vengeance, ni la revendication d'un pouvoir spolié. Tandis qu'Antigone en appelle aux morts, à la terre, pour affirmer son droit, Oreste, au contraire, s'adresse aux vivants et ne requiert aucun royaume matériel. Poursuivant le registre platonicien, Sartre fait d'Oreste l'homme éclairé qui dévoile la vérité aux ignorants : « Les hommes d'Argos sont mes hommes. Il faut que je leur ouvre les yeux » (*M*, p. 238). Forts de cette libération, les hommes deviennent leurs propres maîtres. Le destin s'est retourné contre lui-même, et le héros tragique s'est mué en messager de la liberté.

L'ENFER DE LA RESPONSABILITÉ

Avec *Huis clos*, Sartre renverse aussi la notion de destin, mais dans une acception et une démarche nouvelles. Si *Les mouches* témoignent de la destruction de l'Être par le pouvoir néantisant de la liberté, *Huis clos* situe l'action après la reconstruction de l'Être par la conscience, c'est-à-dire une fois la liberté exercée en acte. La situation prend donc encore plus d'importance, puisqu'elle contient à la fois les éléments présents à la conscience et les situations passées au sein desquelles elle a effectué un choix. Le titre même de la pièce témoigne de cette prégnance de la situation, sur le mode de la séquestration[1]. La pièce présente, durant les quatre premières scènes, un dispositif carcéral dans lequel peu à peu les consciences trouvent leurs limites. Les personnages échafaudent des explications pour donner un sens à cette situation. Garcin pense qu'ils ont été réunis par hasard, selon l'ordre d'arrivée en enfer, tandis qu'Inès lui rétorque qu'en enfer tout est déterminé. De fait, la logique infernale consiste à circonscrire la liberté au plus près, resserrant ainsi l'espace de sa révélation. Mais tandis que *Les mouches* montrent l'épreuve d'une liberté qui va s'accomplir, *Huis clos* propose une liberté qui s'est déjà accomplie. Dans un cas, la liberté se conjugue au futur, dans l'autre au passé. Oreste est une conscience libre dont on attend la déclaration. Garcin, Inès et Estelle sont des consciences qui ont choisi librement et qui sont confrontées à leur responsabilité. La nécessité est l'être en-soi de la conscience, qui lui vient de ses résolutions passées : la conscience est condamnée à avoir été libre.

Huis clos est ainsi empreint d'une réflexion sur le temps. Reprenant une formule de Malraux, Sartre affirme dans *L'Être et le Néant* que « la mort transforme la vie en destin » (*EN*, p. 625). En effet, pour une conscience vivante, le passé demeure perpétuellement en sursis, toujours en instance de dépassement. Mais avec la mort, il n'existe plus aucune possibilité de donner un nouveau

---

1. Fréquemment utilisé par Sartre, depuis *Le mur* jusqu'aux *Séquestrés d'Altona*.

sens au passé, soudain objectivé. La vie est définitivement faite, et devient l'objet d'un jugement en extériorité, sans qu'il soit plus possible de changer les faits de l'intérieur. Le personnage tragique, dans la tradition classique, subissait un avenir prédestiné ; avec Sartre, le tragique vient de ce qu'il ne peut plus agir sur son propre passé. D'où la confrontation imparable avec soi-même, avec la conscience en-soi, fixée à jamais.

Dans l'enfer commun et d'apparence anodine des trois personnages trône un objet énigmatique : le bronze de Barbedienne. Sartre l'a choisi pour sa massivité. L'objet lourd, inamovible, ne donne à voir aucun signe. Peu importe ce qu'il représente ; il est, en lui-même, la présence massive de l'en-soi, l'objet silencieux et compact qui renvoie chacun à son inertie de mort vivant. Les personnages bougent mais n'ont aucun effet sur les choses, puisque la mort les a eux-mêmes « chosifiés ». Dans le début de la pièce, Garcin flatte ce bronze et l'associe au fantasme de la noyade : « Le type suffoque, il s'enfonce, il se noie, seul son regard est hors de l'eau et qu'est-ce qu'il voit ? Un bronze de Barbedienne. Quel cauchemar ! » (*HC*, p. 16). La noyade est une immersion du corps qui rend compte de l'absorption de la conscience par les choses. Le face-à-face avec le bronze n'est pas seulement la confrontation de l'homme avec l'en-soi, mais aussi l'engluement progressif de la conscience, comme celui de la liberté figée dans les choix qu'elle a faits. Garcin, à la fin de la pièce, revient vers le bronze pour le caresser, il assume cette parenté, dans la mort, avec l'inertie massive. Ce retour final à l'objet indique la circularité de la pièce et du temps éternel. Là réside la dimension infernale de la situation : dans la découverte de cette éternité qui condamne aux incessants aller-retour, aux cycles des conflits.

La séquestration est à la fois spatiale et temporelle. Dès les premières répliques, Garcin espère résister à l'enfer et il fait confiance au temps : « Je pense qu'à la longue on doit s'habituer aux meubles » (*HC*, p. 13). Mais les derniers propos témoignent du contraire : Estelle a tenté vainement d'assassiner Inès et, se rendant compte de l'inanité du geste, comprend qu'aucune fin n'est possible. Le meurtre reste le lot du drame ou la fin ordinaire de la tragédie. L'enfer de l'éternité est pire :

« INÈS : C'est *déjà* fait, comprends-tu ? Et nous sommes ensemble pour toujours.

Elle rit.

ESTELLE, *éclatant de rire* : Pour toujours, mon Dieu que c'est drôle ! Pour toujours !

GARCIN, *rit en les regardant toutes deux* : Pour toujours ! » (*HC*, p. 94-95).

Le rire commun devant l'impasse manifeste le tragique dans son absurdité ; revenant constamment sur eux-mêmes, les personnages ne peuvent rien entreprendre qui puisse changer leur situation. La mécanique du conflit s'est mise en place, et les bravades sont devenues dérisoires et comiques.

La liberté située est donc une liberté engagée dans un monde interindividuel, en lutte avec une situation menaçante, exigeant une prise de position. À ce titre, l'aliénation des trois personnages de *Huis clos* est double : d'une part, ils sont dépossédés du sens de leurs actes par ceux qui sont restés en vie ; d'autre part, ils doivent chacun faire face aux deux autres consciences inquisitrices. La première dépossession vient de la mort elle-même. « Être mort, c'est être en proie aux vivants » (*EN*, p. 628). Les personnages souffrent de leur impuissance à pouvoir s'expliquer, se justifier devant leurs juges demeurés sur terre. L'incursion de la réalité vivante au sein de l'enfer est une des tortures infligées aux condamnés, réduits à la merci des vivants. Relatant sa désertion, Garcin s'explique :

« GARCIN : [...] J'ai pris le train, voilà ce qui est sûr. Mais pourquoi ? Pourquoi ? À la fin j'ai pensé : c'est ma mort qui décidera ; si je meurs proprement, j'aurai prouvé que je ne suis pas un lâche...

INÈS : Et comment es-tu mort, Garcin ?

GARCIN : Mal. (*Inès éclate de rire.*) Oh ! c'était une simple défaillance corporelle. Je n'en ai pas honte. Seulement tout est resté en suspens pour toujours » (*HC*, p. 80).

La suspension concerne la signification de la fuite, et il n'appartient plus à Garcin de lui donner une issue. La deuxième dimension de l'aliénation tient à la promiscuité de l'enfer, c'est-à-dire à la présence permanente des autres. De la sorte, tous les actes, présents ou passés, sont hypothéqués par les autres qui leur donnent un sens. Il n'existe pas de lieu neutre, sans signification, dans lequel manipuler le sens. L'omniprésence des points de vue dépossède les consciences de leur autonomie. Aucune gratuité n'est possible, aucune innocence non plus. Tout fait sens, et *a priori* tout le monde est coupable. Là encore, Sartre montre une liberté engagée, compatible avec la nécessité tragique, et qui se déclare d'autant mieux qu'elle est traquée.

La liberté tragique, dans *Huis clos*, se révèle dans son envers : l'impossibilité d'agir une fois mort rejaillit sur l'exigence de l'action pendant la vie. Mais elle se manifeste aussi dans la discussion du passé ; il dépend ainsi des personnages eux-mêmes d'être jugés par les deux autres. De même, l'enjeu du troisième et dernier acte des *Mouches* tient dans le sens qu'Oreste va donner à ses deux meurtres : il est ce qu'il a fait, mais aussi ce qu'il en fait[1]. La conscience libre est toujours comptable de son passé, elle manifeste sa liberté dans sa façon d'assumer sa responsabilité devant ses juges. La situation, dans *Huis clos*, consiste à cerner la conscience, à la contraindre pour qu'elle exprime avec toute sa radicalité l'inéluctable engagement de la liberté dans le monde. Aucun pathos ne vient atténuer cette exigence : Estelle a beau sangloter, en enfer « les larmes ne coulent pas » (*HC*, p. 62). Et lorsque finalement la porte s'ouvre, personne ne cherche à sortir : la liberté n'est pas dans la fuite, dans cette voie libre vers un illusoire ailleurs ; aucune échappatoire onto-

1. La fin de l'*Orestie* présentait son procès par des juges humains, Athéna leur ayant confié le soin de rendre la justice.

logique n'est possible. La liberté s'éprouve à l'intérieur, devant et avec les autres, dans l'assomption du passé et le débat des significations.

3. LA CRITIQUE PHILOSOPHIQUE

Une fois établis ces principes dramaturgiques et la mise en scène de la liberté située, Sartre dénonce certaines conceptions du théâtre reposant sur une vision du monde erronée. Dans la mesure où le choix d'un genre littéraire exprime toujours une option philosophique, la façon d'user du théâtre est révélatrice, dans la facture même, des idées de l'auteur. Le renversement sartrien concernant le tragique implique, en retour, une critique des fondements philosophiques de la tragédie classique. Aussi bien dans *Les mouches* que dans *Huis clos*, Sartre met en cause deux conceptions de l'homme : d'une part, une position métaphysique qui fait de l'homme un jouet dans les mains d'une toute-puissance divine ; d'autre part, une morale ascétique qui prône la liberté d'indifférence.

LA TRANSCENDANCE

La première critique s'attache donc à démonter toute transcendance externe et à montrer la faiblesse des dieux. Sartre reprend ainsi l'esprit tragique, en donnant le spectacle de personnages en lutte contre les arrêts divins. Mais, à la différence des pièces grecques, les divinités ont perdu leur majesté et leur puissance. Le héros tragique sartrien, comme celui d'Eschyle, bouleverse l'ordre cosmique et fait preuve d'*hubris*, c'est-à-dire d'une démesure qui en fait un rebelle aux dieux. Mais, une fois délié de cette tutelle, il échappe définitivement à ses tuteurs. La liberté des hommes est donc nécessairement blasphématoire ; Oreste a été créé libre et sa liberté s'est retournée contre son créateur.

Le héros tragique devient un briseur d'idoles, il renverse les statues symbolisant le pouvoir des dieux. Précisément, la statue de Jupiter, présente au premier acte, signale avec ses yeux blancs la pétrification des libertés, la démission des consciences qui viennent déposer leurs offrandes devant cette représentation cristallisant leur désirs soumis. Électre, défiant l'idole, y déverse des ordures. Elle sort du troupeau des fidèles, comme Oreste, traité par deux fois de « brebis galeuse » (*M*, p. 203 et 236). Il a suffi d'un instant, d'un éclair ou d'une défaillance, pour que l'homme découvre sa liberté et s'engouffre dans cette faille jusqu'à renier son créateur. Oreste rappelle ce moment à Jupiter : « Tu m'avais mis au monde pour servir tes desseins, et le monde était une vieille entremetteuse qui me parlait de toi, sans cesse. Et puis tu m'as abandonné » (*M*, p. 236). La formule reprend le doute du Christ en croix, sur lequel de nombreux écrivains ont glosé ou composé ; Sartre en fait le déclic irréversible qui ouvre les yeux à la créature et la délivre de ses entraves[1].

La délivrance devient un défi lorsque

1. Comme la déception et le blasphème de l'enfant Sartre, dans *Les mots* (p. 88), qui chasse le Tout-Puissant à jamais.

l'homme s'adresse à Dieu d'égal à égal, dans un combat mythologique où le vaincu risque une condamnation éternelle. La dernière scène des *Mouches* évoque le sort ultime d'Oreste : la foule veut lui arracher les yeux ou lui manger le foie. Mais Oreste ne finit pas sa vie comme Œdipe ni comme Prométhée. Il assume sa désobéissance jusqu'à l'exil. S'il a agi, c'est de son plein gré. Sartre prend à nouveau la tradition à rebours : dans l'*Orestie*, Eschyle montre l'injonction des dieux à la vengeance ; Sophocle représente Électre suppliant les dieux de favoriser le meurtre ; Euripide associe Oreste à cette supplique. Au contraire, dans *Les mouches*, Oreste tue contre l'avis de Jupiter qui l'incitait à fuir. Sartre donne du relief à cette opposition en superposant deux dialogues, celui d'Oreste avec Jupiter au premier acte, et celui d'Égisthe avec Jupiter au deuxième. Le meurtre d'Agamemnon par Égisthe était en accord avec la volonté divine, d'autant plus qu'il enchaînait toute une cité repentante. C'était un crime aveugle. En revanche, le meurtre d'Égisthe par Oreste recèle une insoumission périlleuse : « Qu'ai-je à faire d'un meurtre insolent, d'un meurtre paisible, léger comme une vapeur dans l'âme d'un meurtrier ? J'empêcherai cela ! Ah ! Je hais les crimes de la génération nouvelle : ils sont ingrats et stériles comme l'ivraie » (*M*, p. 199). Curieusement, Jupiter n'est pas favorable au destin, témoignant ainsi de la versatilité des dieux et de leurs agissements intéressés : le destin n'est qu'un alibi du pouvoir.

La superposition des deux dialogues met

en parallèle les deux meurtres, mais elle débouche sur la complicité de Jupiter et d'Égisthe. Cette fois-ci, le dialogue du créateur avec sa créature ressemble à une lamentation commune sur le triste sort des puissants. Sartre ménage ici une démystification de la transcendance. Le dieu et le roi se plaignent de l'image qu'ils imposent aux hommes et dont ils se sentent prisonniers. Leur puissance s'est retournée contre eux, et ils ne peuvent plus se départir de leur rôle :

« ÉGISTHE : [...] mon image est là, tout au fond, elle me répugne et me fascine. Dieu tout-puissant, qui suis-je, sinon la peur que les autres ont de moi ?

JUPITER : Qui donc crois-tu que je sois ? (*Désignant la statue.*) Moi aussi, j'ai mon image. Crois-tu qu'elle ne me donne pas le vertige ? Depuis cent mille ans je danse devant les hommes » (*M*, p. 201).

Les hommes ne sont plus à l'image des dieux ; au contraire, ce sont les dieux qui n'existent qu'en tant qu'images des hommes. Les bourreaux sont devenus des victimes. Les dieux sont désormais condamnés. La liberté, la justice sont des affaires d'homme.

Cette démystification passe par une dérision des arrière-mondes. Dans *Huis clos*, la transcendance est capricieuse. Les personnages soupçonnent la présence de puissances obscures, régnant sur l'enfer. Mais elles ne se manifestent jamais quand on a besoin d'elles : la sonnette ne fonctionne pas toujours, et la porte ne s'ouvre jamais quand on l'actionne, au point qu'on peut s'interroger

1. Sonnette et pré-
sence-absence dont
Ionesco tirera lar-
gement partie, dans
*La cantatrice
chauve*, pour sa
mise en scène de
l'absurde.

sur les maîtres des lieux[1]. Dans *Les mouches*,
le personnage de Jupiter est une caricature de
divinité. Sartre reprend là un procédé de
Giraudoux qui a déjà ridiculisé le roi des
dieux dans *Amphitryon 38*. Pâle réplique de
Zeus, dieu humain, trop humain, Jupiter
Ahenobarbus, du surnom d'une famille
romaine dont un membre a vu sa barbe passer du noir au roux, tient plus du magicien
que du dieu tout-puissant. Il se présente à la
première scène comme un « charmeur de
mouches » (*M*, p. 120), un rôle qu'Oreste lui
contestera en reprenant l'histoire du charmeur de rats. Électre ne voit en lui qu'un
« croque-mitaine », sa statue n'est qu'un
morceau de « bois blanc », et sa face ensan-
glantée est simplement « barbouillée de jus
de framboise » (*M*, p. 127). Il règne sur les
Argiens grâce à des tours de prestidigitateur.
« Abraxas, galla, galla, tsé, tsé », « Posidon
caribou caribou lullaby », tel est le langage
des dieux, celui des imposteurs, tout juste
bons à chasser les mouches et à effrayer les
passants crédules. Dans le troisième acte,
Jupiter menacé fait une démonstration de
ses pouvoirs ; les indications scéniques
engagent une représentation à gros effets :
« *Les murs du temple s'ouvrent. Le ciel apparaît,
constellé d'étoiles qui tournent. Jupiter est au fond
de la scène. Sa voix est devenue énorme — micro-
phone — mais on le distingue à peine* » (*M*,
p. 233). Jupiter magicien cherche à impres-
sionner en vain par une quincaillerie cosmique. Sartre ironise ainsi sur le *deus ex
machina* qui permet à certains auteurs tragiques de ménager un dénouement, par une

intervention transcendante et spectaculaire. Le théâtre de Sartre n'a pas recours à cette machinerie métaphysique. Depuis Cocteau, il a appris à se moquer des machines infernales, et il réserve l'initiative du dénouement aux seuls humains.

LA LIBERTÉ D'INDIFFÉRENCE

Le deuxième objet de la critique philosophique tient à la morale des hommes et à l'usage qu'ils font de leur liberté. Sartre n'a pas encore défini son éthique de l'engagement qui lui vaudra autant d'admiration que de haine, mais il conçoit déjà l'exigence d'une prise sur le monde, la requête permanente d'un choix auquel nul ne peut se soustraire. Tout homme est responsable, qu'il le veuille ou non, de ce que font les autres hommes, ainsi que l'affirmera le texte inaugural des *Temps modernes* à la Libération. Qu'il soit écrivain, artiste, philosophe, l'homme est impliqué dans l'histoire et chacun de ses actes, si anodin soit-il, prend un sens au regard des événements du monde.

Cette conception radicale de la responsabilité se forge dans les écrits de Sartre dès son retour de captivité. Fréquemment, il a rappelé cette coupure entre ses idées d'avant-guerre, une philosophie idéaliste et individualiste, et ses positions d'après-guerre, prenant en compte la réalité collective. Dans l'« Autoportrait à 70 ans », il rappelle : « J'étais assez confortablement installé dans ma situation d'écrivain antibourgeois et individualiste. Ce qui a fait éclater tout ça, c'est qu'un jour de septembre 1939, j'ai reçu une feuille de mobilisation et j'ai été obligé d'aller à la

caserne de Nancy rejoindre des gars que je ne connaissais pas et qui étaient mobilisés comme moi. C'est ça
qui a fait entrer le social dans ma tête. [...] La guerre a
vraiment divisé ma vie en deux. C'est là que j'ai connu
l'aliénation [...] c'est là que je suis passé de l'individualisme et de l'individu pur d'avant la guerre au
social, au socialisme ; c'est ça le vrai tournant de ma
vie[1]. »

1. *Situations X*,
Paris, Gallimard,
1976, p. 179-180.

Même s'il n'a pas encore conçu les outils
intellectuels qui lui permettront de penser
l'histoire, Sartre saisit, dès le début des
années 40, l'imbrication de la conscience et
de la matérialité sociale. Certes, l'attitude des
personnages des *Mouches* et de *Huis clos* reste
empreinte d'individualisme, et l'histoire
leur demeure étrangère et aliénante, mais il
apparaît en eux la nécessité d'assumer cette
réalité. Ces deux pièces contiennent donc
une critique rétrospective des idées philosophiques d'avant-guerre, et plus généralement de la philosophie comme amour de la
sagesse. Dans l'interview de 1943, Sartre
refuse l'idée d'une liberté intérieure, telle
que la définissait Bergson, permettant aux
hommes d'échapper au destin : « Une telle
liberté reste toujours théorique et spirituelle.
Elle ne résiste pas aux faits » (*TS*, p. 224). Le
salut des hommes face au tragique ne réside
pas dans un stoïcisme qui trouve refuge dans
la raison, mais dans la prise en charge et le
travail du destin : l'éthique de la liberté suppose l'action.

Dans *Les mouches*, Sartre reprend le personnage du précepteur de l'*Électre* de
Sophocle, et lui donne pleinement une fonction de pédagogue. Précisément, ce rôle

incarne la sagesse tranquille du philosophe. Rationaliste et sceptique, il conseille à Oreste de ne pas aller plus avant dans une ville hostile. Il condamne toutes les formes de passion, et se méfie des foules et de leur violence. Il a formé l'esprit d'Oreste et lui a enseigné l'archéologie, la philosophie, il lui a montré la relativité des jugements, la diversité des coutumes, il lui a appris à rejeter les opinions et les superstitions. Il a fait d'Oreste un homme « libre pour tous les engagements et sachant qu'il ne faut jamais s'engager » (*M*, p. 122) et espère qu'il deviendra professeur dans une grande ville universitaire et écrira un guide sur la Grèce.

Le pédagogue est un humaniste avant l'heure, avisé, tolérant, sceptique, cultivé ; ce pourrait être un professeur de la IIIᵉ République. Dès ses premiers écrits, Sartre a donné divers portraits de cette culture scolaire, que ce soit avec « Jésus la chouette[1] » ou avec l'autodidacte de *La nausée*, accompagnant ainsi les diatribes de son camarade Nizan. La lucidité du pédagogue, les vertus de la raison paraissent inefficaces et peu appropriées à la situation des Atrides. La « liberté d'esprit » traduit une philosophie de l'inaction. Et la culture des belles âmes n'est bonne que pour les gens de lettres, c'est une culture pétrifiée, comme les vieilles pierres qu'étudie le pédagogue. Elle permet à Oreste de connaître « les trois cent quatre-vingt-sept marches du temple d'Éphèse » (*M*, p. 122), mais elle reste extérieure à lui. Le savoir se résume à l'érudition s'il n'est pas vécu, réintériorisé dans un projet actif. Si le pédagogue veut méditer, Oreste préfère agir.

1. In M. Contat et M. Rybalka, *Écrits de jeunesse*, Gallimard, 1990.

Cette opposition se manifeste dans la situation de la première scène du deuxième acte : Oreste observe la foule, il n'est qu'un spectateur de l'histoire. Il se nomme encore « Philèbe », du nom grec signifiant l'amour de la jeunesse. Comme le Philèbe de Platon, il a cherché le bonheur dans le plaisir, vivant à Corinthe, une ville réputée pour ses débauches. Oreste est léger. « Je ne pèse pas plus qu'un fil et je vis en l'air » (*M*, p. 123), s'exclame-t-il.

Sartre reprend là une expression qu'il appliquait à Mathieu dans *L'âge de raison*. Il emploie la même figure rhétorique en développant une antithèse entre la légèreté et la lourdeur. Dans le roman, Mathieu refuse toutes les attaches, familiales ou politiques, et s'obstine à garder sa liberté ; indécis, pacifiste, désabusé, il incarne l'insouciance de l'avant-guerre, effrayé par tout engagement qui lui semble entraver sa vie. Mathieu est libre pour rien, comme le lui fait remarquer Brunet : « tu es libre. Mais à quoi ça sert-il, la liberté, si ce n'est pour s'engager ? [...] Tu vis en l'air [...] tu flottes, tu es un abstrait, un absent[1]. » Brunet, l'opposé de Mathieu, est un homme lourd, terrestre, manuel, engagé dans l'histoire.

1. *L'âge de raison*, Paris, Gallimard, 1945, p. 149.

Comme Mathieu, Oreste doit atteindre l'âge de raison et peser sur le sol. À son arrivée à Argos, il est encore un exilé, sans racines. De nombreuses métaphores, à la deuxième scène du premier acte, mettent en valeur l'antithèse de la liberté d'esprit et de l'engagement : d'un côté les toiles d'araignée, les livres, le vent, de l'autre les sensations, les champs, la lance. Intellectuel ou manuel, abstrait ou concret, pacifique ou violent, aérien ou terrestre, Sartre retrouve les oppositions de *L'âge de raison*. Oreste doit acquérir de la pesanteur, il lui faut agir. De fait, une fois les meurtres accomplis, il a pris du poids ; à la fin du deuxième acte, Électre contemple la main du tueur : « Comme elle s'est faite lourde pour frapper les assassins de notre père[1] » (*M*, p. 209). Au troisième acte, Oreste lui explique le sens de son crime : « Crois-tu qu'il ne pèse pas sur mon âme comme du plomb ? Nous étions trop légers, Électre : à présent nos pieds s'enfoncent dans la terre comme les roues d'un char dans une ornière. Viens, nous marcherons à pas lourds, courbés sous notre précieux fardeau » (*M*, p. 240-241). Enfin, Oreste a quitté les sphères cultivées pour descendre dans le monde, il est descendu de son perchoir. Désormais il laisse des traces dans la terre, même si c'est dans une ornière. Il peut marquer le sol de ses empreintes. Après avoir erré, parcouru les routes de l'exil, il a choisi son chemin, celui de la liberté.

Dans *Huis clos*, Sartre ménage la même critique de la liberté passive, qui apparaît cette fois comme une liberté d'indifférence. Les personnages tentent aussi d'échapper au tragique de la situation et d'oublier leur inconfort par des considérations esthétiques. Ainsi la découverte de l'enfer se transforme-t-elle rapidement en une visite d'appartement, et l'effroi laisse-t-il place aux commentaires de style sur l'ameublement. Garcin croit comprendre que chacun vit dans l'enfer

1. La main lourde préfigure celle de Hugo dans *Les mains sales*.

meublé qu'il mérite et il entame une conversation badine avec le garçon pour comparer le style Second Empire avec le Louis-Philippe. Comme Oreste qui observait le style petit-dorien devant le palais de son père assassiné, Garcin discute du mobilier dans une pièce destinée au supplice infernal. À son tour, Estelle commente la couleur des canapés et se désole du vert épinard qui lui est attribué, alors qu'elle est habillée en bleu clair. Ces propos sur la décoration intérieure font des personnages de simples spectateurs d'une situation qui pourtant les implique directement et exige qu'ils s'engagent dans le conflit avec leur passé. L'intérieur Second Empire n'est encore qu'un extérieur ; il existera vraiment lorsqu'ils l'auront intériorisé, c'est-à-dire lorsqu'ils y auront assumé leur place.

Mais il existe d'autres subterfuges qui relèvent d'une certaine conception de la sagesse et du désintéressement. Garcin propose en effet à ses codétenus un pacte de non-agression, qui permettrait à chacun de conserver sa liberté intérieure. En s'obligeant à respecter les autres, les consciences bénéficieraient en retour d'une paix solitaire. Il s'agit de préserver la liberté par la volontaire ignorance des autres : chacun chez soi ; pour vivre heureux, ou plutôt pour être mort le moins malheureux possible, il faut se cacher. Garcin ne cesse de plonger son visage dans ses mains, lui qui proclamait vouloir regarder la situation en face. Par un effet de dénégation retorse, il s'aveugle pour n'être pas vu. Solution infantile, l'attitude de

Garcin présente une série de figures sur le thème du renoncement, du désengagement. Comme les trois singes qui ne veulent ni entendre ni voir ni parler, Garcin veut s'abstraire et se préserver. Il aspire au silence, au « recueillement » et veut retourner son regard au-dedans de lui. Sur cette conception de la sagesse, il se heurte à Inès qui lui oppose la nécessité de l'engagement interindividuel, et l'impossibilité de nier les autres :

« GARCIN : Nous allons nous rasseoir tranquillement, nous fermerons les yeux et chacun tâchera d'oublier la présence des autres.

> *Un temps, il se rassied. Elles vont à leur place d'un pas hésitant. Inès se retourne brusquement.*

INÈS : Ah ! oublier. Quel enfantillage ! Je vous sens jusque dans mes os. Votre silence me crie dans les oreilles. Vous pouvez vous clouer la bouche, vous pouvez vous clouer la langue, est-ce que vous vous empêcherez d'exister ? » (*HC*, p. 50-51).

Précisément, l'existence n'est jamais solitaire, et l'absence recèle toujours une présence. En voulant ne pas être là, Garcin est bien là, sur le mode du n'être-pas-là. Tout fait signe aux autres, et l'espace n'est jamais vide, jamais neutre du moment qu'y existe un point de vue. Ne pas parler, c'est parler malgré tout, comme Sartre l'explique dans « Qu'est-ce que la littérature ? » : « le silence même se définit par rapport aux mots, comme la pause, en musique, reçoit son sens des groupes de notes qui l'entourent. Ce silence est un moment du langage ; se taire ce

1. *Situations II*, Paris, Gallimard, 1948, p. 74.

n'est pas être muet, c'est refuser de parler, donc parler encore[1]. » Inès peut donc comparer Garcin à un bouddha, et opposer à son recueillement intérieur l'existence même, la vie des choses terrestres, les paroles incessantes du monde. Rien ne supprime cette présence, rien ne permet d'éviter le conflit, même la « bonne volonté » (*HC*, p. 64) que sollicite Garcin. La liberté des hommes n'est pas une affaire de bonne ou de mauvaise volonté, estime Sartre qui répond ainsi à Jules Romains ; elle exige, et surtout en temps de guerre, des actes assumés jusque dans leurs conséquences et leur brutalité. La liberté se manifeste au sein des épreuves de l'existence.

III   LES ÉPREUVES DE L'EXISTENCE

1. L'ÉPREUVE DE LA CHAIR

Mis à nu, les personnages font l'épreuve de l'existence brute, dans leur chair. La présence de très nombreuses références au corps, aux qualités charnelles, ne constitue pas simplement un univers fantasmatique. Certes, les multiples images relevant du registre de la chair s'inscrivent dans un imaginaire qui a souvent choqué la critique par son insistance sur les aspects triviaux du corps. Mais, beaucoup plus profondément, l'obsession de la chair relève de la relation

71

entre le corps et la conscience. Contre la tradition dualiste et cartésienne, Sartre refuse l'idée selon laquelle l'homme « a » un corps, au sens instrumental. La conscience ne détient pas un corps, elle « est » son corps. Elle se détermine constamment à partir de lui, sans même qu'on puisse la dire prisonnière ; le corps est cette présence obsédante, qui ne disparaît pas, même lorsqu'on l'utilise. Nous vivons d'abord notre corps comme une chair qui nous enracine : le corps recèle une foule de déterminations que la conscience est obligée d'assumer comme ce qu'elle est, sans l'avoir choisi.

LA CHAIR VISQUEUSE

La mise en scène de l'existence appelle donc l'exposition des corps dans leur matérialité charnelle, telle que l'éprouvent les personnages. À ce titre, la chair relève de l'en-soi, puisqu'elle oblige la conscience à se saisir comme une chose. C'est pourquoi la chair est visqueuse. Constamment, Électre exprime son dégoût de la viscosité dans ses descriptions de Clytemnestre. « Elle a des lèvres grasses et des mains très blanches, des mains de reine qui sentent le miel. [...] Tous les soirs je sens vivre contre ma peau cette viande chaude et goulue » (*M*, p. 131). Au-delà de la répulsion d'Électre à l'égard de sa mère criminelle, la chair est ici vécue comme un empâtement pernicieux, dont il faut éviter le contact. Égisthe aussi est gras : « c'est de la bonne graisse royale » (*M*, p. 194), observe Jupiter. Les imposteurs existent en soi, repus dans le contentement d'eux-mêmes, jouissant de leur chair inerte.

Si Clytemnestre sent le miel et Égisthe le suif, c'est qu'ils incarnent une relation visqueuse au monde. En effet, le rapport à la qualité des choses implique l'ensemble de l'individu qui se risque au contact de la matière. Dans *L'Être et le Néant,* Sartre étudie plusieurs qualités, comme le pâteux, le lisse, le graisseux, pour comprendre comment leur épreuve engage la conscience. Les goûts et les dégoûts sont étroitement liés à leur appréhension, et révèlent non pas des dispositions psychologiques, mais des choix, des rapports au monde. Le fait de juger visqueuses certaines relations, par exemple, ne se résume pas à une métaphore. Le dégoût provoqué par une poignée de main visqueuse implique déjà que la viscosité soit investie d'une répulsion plus profonde. Exprimant une activité insidieuse de la matière, le visqueux se distingue du pâteux qui est inerte et présente une matière morte. Sartre associe au visqueux d'autres qualités qui en relèvent, dans leur nature, comme le poisseux et le sucré, et il décrit le contact avec des réalités visqueuses, comme le miel ou la confiture : « Il vit obscurément sous mes doigts et je sens comme un vertige, il m'attire en lui comme le fond d'un précipice pourrait m'attirer » (*EN*, p. 700). Sartre insiste sur les apparences du visqueux pour en montrer le caractère d'intermédiaire entre deux états : ni liquide ni solide, mais dont l'activité consiste à faire passer de l'un à l'autre. Il est louche car il présente l'aspect du liquide, du mouvant, mais au ralenti ; il favorise en fait la solidification des corps qui s'y risquent. Compressible, il peut donner l'illusion d'une matière docile, puisqu'on le manipule et le modèle à volonté ; toutefois, sa forme n'est jamais stable, et c'est bien plutôt son manipulateur qui se trouve modelé, par l'empâtement qu'il lui impose. Au départ, il manifeste une mollesse qui laisse penser qu'on peut le détruire sans grande résistance, mais sa possession est trompeuse, car la matière visqueuse reste insaisissable ; elle se laisse pénétrer pour mieux prendre, d'où sa bassesse, puisqu'elle ramène la conscience vers la terre et ses lois biologiques.

Dans *Huis clos*, la confrontation des trois personnages aboutit rapidement à cette décomposition, à la mise au jour de l'existence comme chair. Dépouillé de toutes les intentions qui l'animent, le corps est une chair inerte, un état passif. Lorsque les personnages se sont longuement fixés, les visages perdent leur humanité et révèlent leur matérialité pâteuse[1]. Les mines se réduisent à des pantomimes qui tombent pour laisser place à la chair. Derrière l'activité transparaît l'appartenance du corps aux lois de la pesanteur qui le rappelle à son existence de fait, injustifiée : « au cours d'un long commerce avec une personne, il vient toujours un instant où tous ces masques se défont et où je me trouve en présence de la *contingence pure de la présence* ; en ce cas, sur un visage ou sur les autres membres d'un corps, j'ai l'intuition pure de la chair » (*EN*, p. 410). Le face-à-face conduit ainsi la

1. Sur le visage éthique, voir la comparaison entre Sartre et Lévinas. Cf. Dossier, p. 201, *La transcendance visible*, et p. 204, *Le visage éthique*.

conscience à la confrontation avec la chair brute de l'autre, mais il est aussi révélation de sa propre chair. Dans le huis clos des corps, chacun éprouve la présence des autres dans sa propre chair. « Je vous sens jusque dans mes os. [...] Les sons m'arrivent souillés parce que vous les avez entendus au passage » (*HC*, p. 51), s'exclame Inès. La promiscuité ne se limite pas à la cohabitation des épidermes, elle compromet l'indépendance des corps et contraint les consciences à exister comme chair. À l'inverse d'Inès, Estelle se satisfait pleinement de l'existence charnelle et se complaît dans la sensualité des corps. Elle sollicite fréquemment Garcin et tente de lui faire oublier ses idées noires en le rappelant à la chair. En demandant les mains de Garcin sur sa gorge, elle espère un abandon des consciences à leur corps.

Le désir vise à l'épanouissement des chairs, mais il ne se réduit jamais aux lois de la chair. Il suppose une intention de la conscience. S'il peut naître d'une circonstance purement physique, il n'en demeure pas moins que la conscience peut ou non faire corps avec ce désir, c'est-à-dire vivre en symbiose avec la chair. « Le désir est une tentative pour déshabiller le corps de ses mouvements comme de ses vêtements et de le faire exister comme pure chair » (*EN*, p. 459). Désirer, c'est choisir de s'identifier à la chair, comme Estelle : « je ne suis plus qu'une peau » (*HC*, p. 72), déclare-t-elle. Elle cherche à s'enliser dans son propre corps, jusqu'au vertige, jusqu'à l'évanouissement de la conscience. Le désir d'Estelle est donc une tentative de fuite. Elle s'adresse à Garcin comme chair, détaillant son corps, le décomposant (*HC*, p. 83), et elle s'imagine pouvoir ainsi sortir de l'enfer. Par ses flatteries, elle entreprend de couler leurs deux existences dans la chair.

La réaction de Garcin retrouve la répulsion de la conscience au contact du visqueux. En quelques mots, il en reprend les métaphores les plus significatives : « Je ne veux pas m'enliser dans tes yeux. Tu es moite ! Tu es molle ! Tu es une pieuvre, tu es un marécage » (*HC*, p. 85). La chair visqueuse a des effets de ventouse, elle exprime l'engluement de la conscience dans l'en-soi du monde. Le huis clos encourage cette moiteur qui voit la corruption des corps, leur dilution en matière louche, quasi animale ou quasi végétale. Devenus graisseux, ils déposent des traces sur tout ce qu'ils touchent. Garcin a les mains moites, lui aussi, et il laisse une marque sur la robe d'Estelle. La chair transpire et oblige les consciences à suer dans leur corps.

La décomposition se manifeste non seulement par la viscosité mais aussi par la pourriture. La viande des corps n'est pas seulement grasse, elle grouille de vers. Il règne dans Argos une odeur de pourriture ; Électre, qui déverse régulièrement des trognons de choux et des coques de moules devant la statue de Jupiter, lave le linge royal, « un linge fort sale et plein d'ordures. Tous leurs dessous, les chemises qui ont enveloppé leurs corps pourris » (*M*, p. 129). Les mouches qui virevoltent sont des mouches à viande, attirées par la putréfaction, et leur taille est proportionnelle à la pourriture des corps. « Je pue ! Je pue ! crie un Argien, [...] je suis un égout, une fosse d'aisances... » (*M*, p. 154). Sartre rappelle les sécrétions fétides du corps : le suint blanc qui coule des yeux de l'idiot comme du lait caillé, la sueur de Garcin, la sanie et le pus des cœurs pourris que les Érinyes transforment en miel vert.

LA CHAIR MEURTRIE

Si la chair se dilue et se décompose d'elle-même, elle est aussi menacée par les agressions qui en font leur pâture. Les mouches sont chargées de mettre les corps en charpie et manifestent un goût du sang insatiable et frénétique. Leur vampirisme s'exerce par la succion, la dévoration ou la pénétration. Désignées comme les suceuses de pus, elles se gavent du sang des hommes, et les soldats qui les tuent en ont plein les mains. La ville est ainsi barbouillée du sang répandu. La succion des mouches s'exerce sur tout le corps : elles tètent les yeux et apprécient toutes les tartines de chair. Cette dévoration peut même atteindre l'intérieur des corps et se transformer en pénétration. Dans une hyperbole fantastique, un soldat imagine le règne des insectes vampires : « l'air serait sucré de mouches, on mangerait mouche, elles descendraient par coulées visqueuses dans nos bronches et dans nos tripes... » (*M*, p. 188). Cette dévoration concourt à la pourriture des corps, elle rappelle la nature putrescible de la chair. Tout homme est un cadavre en sursis, une charogne qui s'ignore. Le chœur des Érinyes se termine par une phrase éminemment baudelairienne : « Et nous ne céderons la place qu'aux vers » (*M*, p. 218), comme la vermine victorieuse à la fin d'« Une charogne ».

La meurtrissure de la chair s'accomplit aussi par la trouée, dont les figures sont la piqûre, la percée, la griffure, la morsure ou la déchirure. Le visage des personnages est déjà marqué par le souvenir de ces agressions. Celui de Clytemnestre est « un champ ravagé par la foudre et la grêle » (*M*, p. 138). Celui d'Électre finit par lui ressembler, comme labouré par les griffes d'une bête. Pour lacérer, les mouches se métamorphosent. Elles deviennent des corbeaux pour les Argiens : « Piquez, creusez, forez, mouches vengeresses » (*M*, p. 154). Elles se transforment en échassiers, les Érinyes, qui attendent la curée : elles espèrent racler la peau d'Oreste et d'Électre jusqu'à l'os, les mordre, les griffer : « bientôt tes ongles de fer traceront mille sentiers rouges dans la chair des coupables » (*M*, p. 216). Dignes du bestiaire de Lautréamont, elles voudraient plonger les doigts dans leurs yeux.

Sans avoir recours à ces êtres fantastiques, *Huis clos* n'est pas en reste sur la torture des corps. Nous avons déjà vu Estelle en pieuvre ; Inès, conscience plus aiguë, ou plus aiguisée, agit davantage sur le mode de la lacération. Elle « a sorti ses griffes » (*HC*, p. 85) et terrorise Estelle. Mais nous savons que les trépassés ne peuvent plus exercer véritablement une torture physique, même en enfer. C'est donc l'évocation de leur mort qui rappelle l'agression subie dans la chair. Les deux femmes ont péri par défaut de respiration, puisque Estelle est morte de pneumonie, et Inès par le gaz. Mais Garcin a reçu douze balles dans la peau. C'est la chair des hommes que l'on troue, comme celle de l'amant d'Estelle, « un excellent ami avec un trou au milieu de la figure » (*HC*, p. 35). La chair est donc vouée à l'abandon ou à la menace. Les consciences ne peuvent échapper à cette épreuve, et la liberté doit composer avec cette nécessité de l'incarnation, doit affronter la chair du monde et la chair des autres, faute de quoi elle se perd dans l'inertie de la matière.

Contre l'abandon, contre l'engluement de la chair, la conscience peut adopter un comportement ascétique. Souhaitant préserver sa liberté par une désincarnation qui évite l'enlisement dans les choses, l'individu refuse sa propre chair ; à l'inverse des corps épanouis, le corps anorexique exprime cette exigence. À l'obscénité de la graisse, de la chair pantelante, s'oppose la sécheresse, la chair réduite à la volonté, qui n'excède en rien l'intention de la conscience. Dans *Les mouches*, Électre manifeste cette aridité. Déjà chez Giraudoux, son intransigeance allait de pair avec sa maigreur. La princesse condamnée à garder les cochons est une jeune anorexique. Et pourtant elle exhale une « odeur de chair fraîche » (*M*, p. 127) ; précisément, elle n'est pas encore atteinte par la pourriture des consciences compromises, par la moisissure des corps abandonnés à la nature. Dans *Huis clos*, c'est Inès qui incarne cette sécheresse. Méprisant le corps des hommes, elle refuse de se laisser engluer par la chair. Le désir n'a pas de prise sur elle, ou du moins elle entend rester maîtresse du projet d'incarnation. « Je suis sèche, déclare-t-elle. [...] Une branche morte, le feu va s'y mettre » (*HC*, p. 65). Électre et Inès sont des consciences austères, prêtes à se brûler pour sauver leur intégrité. Elles ont des visages d'incendie.

Cependant cette sécheresse incarne un refus hautain et ne donne aucune perspective à la conscience pour assumer son corps au sein de la chair du monde. Car le refus du corps est aussi un refus de soi. Il existe donc un autre choix que l'alternative de l'abandon et du refus. Sartre le présente dans une comparaison essentielle, qu'il place dans la bouche du dieu pour définir Oreste : « Tu es dans le monde comme l'écharde dans la chair[1] » (*M*, p. 233). Telle est la définition de l'humain qui ne subit pas la loi du destin, ni de la nature. L'homme est un corps étranger qui vient pénétrer la chair du monde[2]. Il est l'aiguillon qui rompt l'harmonie établie. Jupiter lui rappelle l'ordre des choses, la pesanteur des pierres, la force de la sève. Mais Oreste est la conscience qui fonde elle-même ses normes. Il est le pour-soi qui vient décomprimer la plénitude de l'en-soi. La liberté ne s'intègre pas dans les lois de la nature, elle pique à son tour, et perce le monde pour y faire un trou, une place dans laquelle bâtir un univers à sa mesure.

1. Sartre emprunte l'expression à Kierkegaard.

2. Cette chair est du côté de l'inertie. Se distinguant de son ami Sartre dans ses ultimes écrits, Merleau-Ponty donnera à cette expression la figure d'un chiasme.

L'enjeu de ces images trouve ici sa signification. La présentation de la chair comme épreuve de la conscience, l'obsession des corps pourris ou meurtris viennent proposer un parcours au spectateur : il s'agit de faire naître un corps. « La sculpture représente la forme du corps, le théâtre représente l'acte de ce corps » (*TS*, p. 119), affirme Sartre. Cette ambition fixe l'horizon du théâtre : la mise en scène d'une conscience qui agit en prenant le monde à bras-le-corps et qui, par là même, passe de la chair au corps.

Mais le corps pour soi est aussi un corps pour autrui, et la relation de la conscience au monde implique aussi la prise en compte des autres, une épreuve tout aussi nécessaire de l'existence.

2. L'ÉPREUVE D'AUTRUI

La conscience ne peut agir seule, et doit nécessairement passer par autrui pour se saisir elle-même. Contre le solipsisme, Sartre affirme la médiation indispensable d'autrui pour la conscience. De fait, *Huis clos* (initialement « Les Autres ») semble fondé sur cette idée, présentant trois personnages qui ne cessent de s'agripper, de se repousser, condamnés à se supporter éternellement. La situation d'enfermement les confronte à l'altérité inéluctable. Le sens est dévoilé à la fin de la pièce par la célèbre formule : « L'enfer, c'est les autres. » Malheureusement, la fortune de cette expression a conduit à y résumer la pièce entière, et sur-

1. Cf. Dossier,
p. 194, « L'enfer,
c'est les autres ».

tout à commettre un contresens durable[1]. On y a vu en effet un pessimisme, témoignant de l'impossible bonheur humain, ou de l'incommunicabilité entre les êtres. Les hommes seraient condamnés à se détester, puisque l'amour des autres est une imposture. Sartre a dû réagir à cette mauvaise compréhension, dans une préface phonographique de 1965 : « Il existe une quantité de gens dans le monde qui sont en enfer parce qu'ils dépendent trop du jugement d'autrui. Mais cela ne veut nullement dire qu'on ne puisse avoir d'autres rapports avec les autres. Ça marque simplement l'importance capitale de tous les autres pour chacun de nous » (*TS*, p. 238). Tout le monde peut donc devenir le bourreau ou la victime d'autrui, tant il est impossible d'échapper à l'altérité : chacun des trois personnages assume ces fonctions à tour de rôle ; et ce qui donne au huis clos une telle animation réside précisément dans le débat des consciences et la tentative pour rompre le cercle des relations conflictuelles. L'enjeu de ces affrontements consiste à trouver, au-delà du conflit, un rapport de la conscience à autrui qu'elle assume sans être ni son esclave ni son maître. Le propos de Sartre s'oppose donc radicalement à toute morale du repli sur soi, comme à toute théorie de la guerre permanente.

Il importe de revenir à l'acception de l'enfer dans cette désignation des relations humaines. *L'Être et le Néant* étudie la façon dont la conscience se saisit dans un monde déjà signifié, marqué par autrui : « Ma chute originelle, écrit Sartre, c'est l'existence de l'autre » (*EN*, p. 321). Il reprend le mythe biblique relatant comment l'homme a été chassé du paradis. Et comme dans la Chute, la réaction première à cette soudaine déréliction est la honte : du fait de sa nudité, l'homme s'éprouve démuni face à autrui, il perd son innocence et doit rendre des comptes. La saisie de l'altérité correspond à la fois à l'expérience de l'inaccessible subjectivité de l'autre, et à la brutale objectivation du sujet par autrui. À cause de l'existence d'autrui, la conscience ne maîtrise plus ses propres significations ; elle doit tenir compte des sens qui lui échappent ; la conscience pour-soi se fige en en-soi, brusquement saisie en extériorité. Le sens qu'autrui donne à ses gestes, même s'il reste en porte à faux, l'oblige à intégrer un jugement étranger. L'altérité lui confère une identité subie. La chute constitue donc un point de départ et non la pénitence éternelle de l'homme condamné à supporter autrui. Elle fonde l'humanité dans l'histoire en lui donnant mission de trouver les modes de relation entre ses membres.

L'ÉPREUVE DU REGARD

La représentation théâtrale met en place, concrètement, la rencontre des consciences, dans leur corps. Et Sartre montre comment l'épreuve de l'autre s'effectue, le plus radicalement, par le regard. Les yeux des autres sont autant de miroirs déformants que les personnages subissent. *Huis clos* en présente constamment la dictature. La pièce débute par « Alors voilà », qu'il faut prendre au sens fort de « vois là » ; le présentatif va au-delà de la simple désignation du lieu à Garcin et au public. Il impose immédiatement la loi du regard. Voir ou être vu, tel apparaît, d'entrée, l'enjeu de la pièce. « Vois » est l'impératif premier, bientôt menacé par la vision en retour. La torture de l'enfer consiste à garder les yeux ouverts, sans refuge possible, même derrière l'écran des paupières désormais atrophiées : « Un clin d'œil, ça s'appelait. Un petit éclair noir, un rideau qui tombe et qui se relève : la coupure est faite. L'œil s'humecte, le monde s'anéantit. Vous ne pouvez pas savoir combien c'était rafraîchissant. Quatre mille repos dans une heure, quatre mille petites évasions » (*HC*, p. 18). L'importance du regard est aussi accrue par la disparition des miroirs, qui met un terme à la réflexivité trompeuse, par laquelle les personnages pouvaient se retrouver seuls devant leur glace pour se composer un visage. Comme le remarque vite Garcin, « la glace est rompue » (*HC*, p. 24) ; la réflexion à double sens indique aussi bien la fin des miroirs que la chaleur des relations infernales.

La scène du miroir humain, avec Estelle et Inès, pousse au paroxysme l'épreuve du regard : Estelle, toujours sensible au jugement des hommes, cherche sa glace de poche pour vérifier son maquillage et séduire Garcin. Elle déclare douter de son existence lorsqu'elle ne peut se voir dans un miroir. Adepte du « je me vois, donc je suis », Estelle est le type même de la conscience aliénée par son image, c'est-à-dire par la conformité au regard des autres. Elle constitue ainsi une proie pour Inès qui lui propose ses bons offices en réfléchissant fidèlement son visage. La scène met en place un supplice raffiné par lequel Inès s'empare d'Estelle. L'image qu'elle dit renvoyer est un piège qui ravit Estelle, rapidement prisonnière du miroir humain.

La fascination d'Estelle par Inès est une épreuve concrète de l'aliénation, de la dépossession de soi par le regard de l'autre. « Mon image dans les glaces était apprivoisée, regrette Estelle. Je la connaissais si bien... Je vais sourire : mon sourire ira au fond de vos prunelles et Dieu sait ce qu'il va devenir » (*HC*, p. 48). Effectivement, Inès peut décider subitement de voir une plaque rouge pour que la joue d'Estelle s'enlaidisse. Estelle se retrouve possédée, aliénée en son corps par le regard d'autrui. « Le regard d'autrui façonne mon corps dans sa nudité, le fait naître, le sculpte, le produit comme il *est*, le voit comme je ne le verrai jamais[1] » (*EN*, p. 431). Le regard manipule, transforme et dévore. « Tous ces regards qui me mangent... » (*HC*, p. 93), constate Garcin devant Inès, l'œil permanent, toujours accusateur, l'œil de Caïn. De même, Électre se sentait dévorée par le regard des mouches, par « leurs millions d'yeux » (*M*, p. 211). Tandis que les Argiens ont des yeux « caves », c'est-à-dire rentrés dans leur orbite, ceux d'Oreste victorieux s'agrandissent. Le regard d'autrui impose à la conscience un dehors qu'elle ne contrôle

1. Cf. Dossier, p. 192, Le regard.

pas, elle lui fait subir une métamorphose menaçante, la réduit à l'état de chose. Elle y pare en regardant autrui à son tour. Être aliéné ou aliéner, tel semble être pour l'instant le cycle des relations entre les consciences.

L'ÉPREUVE DE FORCE

Sartre décline les différentes figures de cette réciprocité conflictuelle et témoigne de l'échec des relations avec autrui, reprenant les études de *L'Être et le Néant* sur l'amour, la haine, l'indifférence, le sadisme ou le langage. Ainsi l'amour est-il présenté comme une tentative de possession[1]. L'amant veut contraindre l'aimé à le reconnaître comme sa raison d'être. Il souhaite donc l'abdication de la liberté de l'autre, dont il exige une dévotion sans partage. L'amant cherche ainsi une légitimation de son existence : l'amour de l'autre le justifie, lui donne un sens. L'aimé doit correspondre au regard de l'amant et se fondre dans la représentation de l'amour, telle une statue vénérée. La contradiction est évidente, puisque l'amant a besoin de la subjectivité de l'autre pour être aimé, mais il lui refuse en même temps cette subjectivité dont il veut limiter la portée en étant son unique objet. Sartre met en relief cette intention contradictoire par les pronoms personnels et possessifs. Le tutoiement est en effet l'enjeu d'une possession de l'autre, et Inès tente plusieurs fois de l'imposer à Estelle pour la posséder. Et lorsque Estelle s'y résout, c'est pour se dégager violemment de son étreinte, après avoir contesté l'emploi des possessifs :

1. Cf. Dossier, p. 196, L'amour.

« INÈS : Estelle ! Mon eau vive, mon cristal.

ESTELLE : *Votre* cristal ? C'est bouffon [...] ma peau n'est pas pour vous.

INÈS : Viens ! Tu seras ce que tu voudras : eau vive, eau sale, tu te retrouveras au fond de mes yeux telle que tu désires.

ESTELLE : Lâchez-moi ! Vous n'avez pas d'yeux ! Mais qu'est-ce qu'il faut que je fasse pour que tu me lâches ? » (*HC*, p. 72).

Inès reprend une expression qu'employait l'un des prétendants d'Estelle, et qui désormais danse avec une autre femme. Le dépit d'Estelle (« Il était à moi », *HC*, p. 68) stigmatise le sentiment dérisoire de la possession. L'amant veut qu'on l'aime et traite l'aimé comme un meuble disposé à sa convenance. Estelle croit donc trouver une issue en se donnant à Garcin. Pour cela, elle lui offre son corps : « tu as ma bouche, mes bras, mon corps entier » (*HC*, p. 77). Abandonnant sa liberté, réduite à n'être qu'un objet de désir, elle n'obtient pourtant pas les faveurs de Garcin qui réclame non pas un objet, mais une subjectivité qui lui pardonne ses faiblesses. Estelle ne réussit pas à être possédée, pas plus qu'Inès n'arrive à la posséder, car la possession d'autrui est vouée à l'échec.

À l'inverse, les consciences menacées peuvent rejeter l'autre en éprouvant de la haine. Mais, là encore, la relation manifeste une aliénation à autrui. Car la haine recèle aussi une contradiction quant à son intention profonde. En effet, elle vise à la destruction de l'autre haï, cherchant à se débarrasser d'une conscience adverse et menaçante.

Toutefois cette volonté d'élimination suppose en même temps la reconnaissance du pouvoir de l'autre, et de sa liberté. La suppression de l'autre n'implique donc pas la négation de cette liberté qui, une fois morte, viendra hanter la conscience au titre de ce qu'elle a été, de ce qu'elle a vécu. La haine ne peut empêcher que l'autre ait manifesté une liberté menaçante, et qu'il demeure une dimension inéluctable de la conscience[1]. Et surtout, elle vient aliéner la liberté de celui qui hait, incapable de penser à autre chose, abdiquant sa propre liberté au point d'en faire de sa haine une raison de vivre. Tel est le cas d'Électre, « rongée » par sa haine d'Égisthe et de Clytemnestre. Giraudoux la désignait déjà comme une « haine pure » dépassant Électre, lui venant d'ailleurs. Dans *Les mouches*, elle s'y est identifiée totalement au point d'être perdue après la mort de ceux qu'elle détestait : « Mes ennemis sont morts. Pendant des années, j'ai joui de cette mort par avance, et, à présent, mon cœur est serré dans un étau. Est-ce que je me suis menti pendant quinze ans ? » (*M*, p. 207). Électre, qui n'existait que par son désir de vengeance, est maintenant désemparée, vide sans sa haine.

Dans un registre semblable, le sadisme connaît la même déception. Il implique aussi une négation de l'autre comme sujet et l'oblige à s'incarner pleinement dans sa chair. Le sadique attend d'autrui qu'il ne soit qu'une chair offerte à ses supplices[2]. Ainsi, dans *Huis clos*, Inès avoue son sadisme : « J'ai besoin de la souffrance des autres pour exister. Une torche. Une torche dans les cœurs. Quand je suis toute seule, je m'éteins » (*HC*, p. 57). La formule signale combien le sadique est dépendant des autres, sans qui il est perdu. Finalement, la violence se retourne contre lui, toujours à cause de cette contradiction touchant à la liberté d'autrui, à la fois nécessaire et insupportable. Inès, lorsqu'elle a tout brûlé, se retrouve devant des cendres, à la merci d'un mauvais vent.

Ces échecs sont-ils inéluctables ? L'enfer des relations entre les consciences résulte non pas d'un décret divin, ni de la nature humaine, il vient de ce que la relation à autrui repose sur de mauvais fondements qui empêchent d'atteindre à l'authenticité. L'union semble impossible ; les consciences en butte à l'altérité ne peuvent constituer un « nous ». Du moins ce « nous » n'existe-t-il qu'aliéné, objectivé par un tiers. Deux consciences forment un tout lorsqu'elles sont unies par un regard extérieur. Il importe, à cet égard, de comprendre le rôle du tiers.

3. LA TRIADE

La réciprocité des conflits entre la conscience et autrui se complique avec la présence d'un tiers, et donne lieu à des combinaisons multiples. Spectateur, unificateur, et le plus souvent déstabilisateur, le tiers brise la symétrie du conflit et donne lieu à un bouillonnement — sinon encore à une fusion — qui fait circuler la violence des relations en variant ses objets. Ainsi *Les mouches* proposent-elles de nombreuses triades instables. L'histoire d'Oreste se fonde tout d'abord sur une trinité de référence, la famille originelle et triangulaire Agamemnon-Clytemnestre-Oreste. La figure de cette trinité perdue plane sur l'ensemble des relations et régit implicitement les combinaisons à l'œuvre dans la pièce. En arrivant dans Argos, Oreste en trouve la réplique pervertie, composée d'Égisthe-Clytemnestre-Électre. Des Atrides, il ne reste donc, après le meurtre du roi, qu'une trinité désunie, Clytemnestre-Oreste-Electre, à partir de laquelle il faut retrouver une famille légitime. C'est sur elle que repose la relève du pouvoir, et l'énigme principale de la pièce consiste à trouver la solution, la bonne combinaison qui permette de fonder à nouveau une famille légitime.

Le premier tableau du deuxième acte, qui montre la foule argienne, présente ainsi les rôles, dégageant nettement le groupe des hommes, celui des femmes et celui des enfants. Cette trinité populaire est vécue dans la passivité, aliénée par la tyrannie d'Égisthe ; elle ne fonde aucune unité de la cité, car elle est subie, en extériorité. Les rôles sont définis par le pouvoir inique d'Égisthe et ne relèvent pas d'une structure sociale intériorisée par ses membres. La triade est ici figée, mais elle peut aussi présenter une violence interne, du fait d'un tiers. Ainsi le pouvoir, incarné par ses deux membres, Égisthe et Clytemnestre, témoigne-t-il d'une complicité menacée, qui se défait progressivement soit par le souvenir du roi assassiné, le tiers passé, soit par l'intervention de son hériter légitime, le tiers présent. Les autorités divines, elles aussi, endurent la composition instable de la triade, cette fois par un tiers non plus subi mais visé, puisque Jupiter rivalise d'influence avec Apollon pour soumettre Oreste, comme en témoigne l'opposition de leurs temples et de leurs statues.

LE TIERS

La quête de la trinité perdue se manifeste essentiellement dans la relation entre Oreste et Électre : duo constamment instable, qui se forme et se défait sous l'influence d'un tiers, visé ou subi. Sartre se plaît à donner au couple du frère et de la sœur une connotation incestueuse. Elle existait déjà dans l'*Électre* de Giraudoux, puisque Oreste, passant pour un étranger, prenait la place du jardinier, le futur époux de sa sœur. Électre est présentée, dans *Les mouches*, comme une jeune fille qui proclame insolemment son désir de bonheur. La première rencontre avec Oreste, alias Philèbe, le jeune Corinthien qui connaît la beauté des filles, déclenche un dialogue de séduction. La succession des scènes à deux correspond strictement au récit d'une aventure amoureuse : elle débute par la rencontre (I-4), se poursuit par la déclaration (II-1-4), s'accomplit dans l'action (II-2-1), se détériore au moment des doutes (II-2-8), et se clôt par la rupture (III-3).

Symboliquement, Oreste devient adulte devant Électre qui éveille sa virilité. Dès le début de la pièce, l'enjeu réside dans l'acte d'Oreste : agira-t-il ? Et comment ? Concrètement, la question est de savoir si Oreste va dégainer son épée. C'est au moment où Égisthe prononce le nom d'Agamemnon qu'il tente, pour la première fois, de la sortir, conformément à une réaction d'honneur. Or Sartre choisit précisément cet instant pour faire entrer Électre en robe blanche sur les marches du temple. La première explication peut s'en tenir à la logique de l'action : Électre détourne le geste pour mieux préparer la vengeance. Mais nous pouvons aussi comprendre qu'elle est appelée par ce geste d'Oreste, par l'exposition d'un attribut viril, érigé au nom du père. Sa robe blanche en fait une jeune vierge, prête à se marier avec l'héritier légitime du roi. Électre demande d'ailleurs la main d'Oreste, à la fin du deuxième acte, et réclame son corps : « Prends-moi dans tes bras, mon bien-aimé, et serre-moi de toutes tes forces » (*M*, p. 209). Sartre insiste fréquemment sur leurs contacts physiques : Oreste prend Électre dans ses bras lorsqu'il lui révèle son identité (*M*, p. 184), Électre embrasse sa main assassine (*M*, p. 209), puis elle finit par ne plus supporter qu'il la touche, refusant violemment son étreinte (*M*, p. 219 et 225).

Leur nuit de noces est particulièrement sanglante, puisqu'elle s'accomplit par le meurtre du couple royal ; et la symbolique du sang joue ici sur plusieurs registres. Car le sang d'Électre est riche de tout un complexe familial. « Le sang nous unit doublement, car nous sommes de même sang et nous avons versé le sang » (*M*, p. 209), lui déclare Oreste. L'identité du sang familial manifeste l'union incestueuse, à laquelle s'ajoute l'union dans le matricide. Le sang d'Électre, l'épouse d'un soir meurtrier, coule par procuration : c'est celui de sa mère que l'épée d'Oreste a fait jaillir. Le mariage du frère et de la sœur va donc beaucoup plus loin qu'un mélange de sang fraternel[1] ; il règle les comptes des noces adultères entre Égisthe et Clytemnestre, et permet d'exprimer les désirs filiaux à l'égard du père et de la mère. Électre a soudain vieilli en une seule nuit ; elle garde les traces indélébiles de cette défloration incestueuse qu'elle n'arrive pas à assumer : « tu m'as plongée dans le sang, je suis rouge comme un bœuf » (*M*, p. 240), dit-elle à son frère. Si l'union n'a pu se réaliser, c'est à cause de la présence de tiers, au sein même du désir d'Oreste et d'Électre.

Le père ne cesse de hanter la relation, comme un spectre. Électre déclare qu'Agamemnon vient, pendant la nuit, lui chuchoter des mots d'amour (*M*, p. 162). C'est lui qu'elle espère retrouver dans son substitut, Oreste. Ce dernier, désirant Électre, tente désespérément d'éliminer cette image du père. Plusieurs fois, il propose à sa sœur de fuir avec lui, au nom de leur amour. En faisant partir Électre d'Argos, il tente de la faire sortir de sa lignée. Ce départ est une condition nécessaire à leur union ; il permettrait un amour innocent et juvénile, vierge de toute filiation. Oreste se berce ainsi d'un

1. Celui de Mathieu et d'Ivich dans *L'âge de raison.*

93

roman familial qui lui permettrait d'oublier la parenté. Mais c'est pour mieux la désirer. Électre refuse cette solution et dénie à son frère son identité ; celui qui se dérobe n'est pas de la race d'Atrée : or elle désire Oreste et non Philèbe. Pour conquérir Électre, Oreste doit reprendre sa place dans la lignée : on ne naît pas frère, on le devient. De même, Électre s'identifie à Clytemnestre qu'elle détestait. Après la mort de sa mère, elle lui ressemble au point qu'Oreste retrouve dans son visage les yeux de Clytemnestre dont elle est désormais la répétition. Elle a pris la place de sa mère en la faisant tuer par le fils d'Agamemnon : elle a souhaité ce meurtre, à la fois pour éliminer une rivale et pour provoquer le geste du père. Entre Électre et Oreste, le malentendu existe dès le départ, et il devient manifeste à la fin de la pièce. Leur union ne se réalise que sous le regard du tiers, le père dont Oreste est la réplique dans les yeux d'Électre. Les Érinyes n'ont donc aucun mal à les séparer, une fois les meurtres accomplis. Deux triades se sont croisées : Agamemnon-Clytemnestre-Oreste et Agamemnon-Clytemnestre-Électre. Agamemnon, le tiers absent-présent, tout au long de la pièce, n'était pas investi des mêmes désirs par Oreste et par Électre. C'est pourquoi il relie le frère et la sœur en même temps qu'il les sépare.

Oreste se retrouve seul. S'il a tué Égisthe, le faux père, ce n'est pas pour répéter le vrai. À la différence d'Électre, il incarne une autre conception de la filiation, ce que nous verrons plus loin.

Par excellence, *Huis clos* présente une triade infernale. Sartre expérimente les nombreuses combinaisons par lesquelles un tiers déstabilise une relation à deux. Un ensemble de trois éléments ne peut jamais constituer une totalité définitive. Le pair contrarié par l'impair induit une incompatibilité dont la pièce présente la dynamique. Comme dans *Les mouches*, personne ne voit autrui tel qu'il est : chacun projette sur l'autre une image qui interfère dans la relation duelle et transforme tout duo en trio. Le tiers imaginaire hypothèque systématiquement l'authenticité du rapport entre les consciences. D'où les quiproquos à l'entrée des personnages : sur le lieu, avec Garcin, sur le bourreau, avec Inès, et sur l'amant, avec Estelle. La logique infernale se met précisément en place au moment où arrive le troisième personnage :

« GARCIN : Il n'y a plus d'espoir, mais nous sommes toujours *avant*. Nous n'avons pas encore commencé de souffrir, mademoiselle.

INÈS : Je sais. *(Un temps.)* Alors ? Qu'est-ce qui va venir ?

GARCIN : Je ne sais pas. J'attends.

> *Un silence. Garcin va se rasseoir. Inès reprend sa marche. Garcin a un tic de la bouche, puis, après un regard d'Inès, il enfouit son visage dans ses mains. Entrent Estelle et le garçon.* » (*HC*, p. 27).

La véritable entrée en enfer débute donc avec la venue de la souffrance, avec le tiers. Le portier est un garçon de laboratoire qui dispose trois humains dans un bocal. Ainsi, les premières scènes agencent la préparation infernale dont le spectateur va pouvoir suivre les développements toxiques. La première étape consiste en la formation précaire des composés. Les personnages vivent d'abord selon une simple cohabitation. Les dialogues s'ébauchent, esquissant des relations : Garcin et Inès, Inès et Estelle, Estelle et Garcin. Le tiers, pour l'instant, est une présence inefficace, exclu d'une conversation à deux. La parole circule et les combinaisons premières n'engagent pas de conflit. Chaque élément observe les autres, ébauche quelques approches, mais reste sur son quant-à-soi. La seule unité de l'ensemble repose sur une commune interrogation. Par conséquent, l'incertitude, l'angoisse ne débouchent sur aucune fusion, puisque l'ennemi n'est pas visible, ni même nommé. C'est peu à peu que les personnages le découvrent, dans les autres, et en eux-mêmes : dans la menace de l'inhumain.

La déstabilisation par le tiers se manifeste lorsque les relations deviennent des entreprises de séduction. La scène au cours de laquelle Inès fait des avances à Estelle ne prend son sens qu'au regard de la présence de Garcin. Même s'il n'intervient pas explicitement, il empêche la formation du couple Inès-Estelle. En effet, ce ne sont pas les préjugés d'Estelle contre l'homosexualité qui font obstacle aux approches d'Inès, mais l'existence de Garcin qui détourne Estelle. Garcin est le tiers visé continuellement par Estelle. La position des personnages le manifeste sur la scène : « *Inès s'est rapprochée, elle se place tout contre Estelle, par-derrière, sans la toucher. Pendant les répliques suivantes, elle lui parlera presque à l'oreille. Mais Estelle, tournée vers Garcin, qui la regarde sans parler, répond uniquement à celui-ci comme si c'était lui qui l'interrogeait* » (*HC*, p. 67). Le composé ne prend pas, et la triade propose une nouvelle combinaison, associant cette fois Estelle et Garcin, Inès se retrouvant en position d'exclue.

À nouveau, le tiers déjoue l'entente possible entre deux individus, mais de façon plus active. Délibérément, Inès veut mettre le couple en échec. « L'apparition d'un tiers vient toujours briser l'amour » (*EN*, p. 445). Première manifestation, symbolique, de cette opposition, le trajet d'Inès au moment des présentations coupe la ligne reliant Garcin et Estelle. Mais la violence joue à double sens et se renverse contre le tiers, puisque le couple décide d'ignorer Inès, la traitant comme une femme de chambre, ou comme une chose inessentielle, sans yeux pour juger. La scène d'amour entre Estelle et Garcin, devant Inès qui tente en vain de séparer leurs corps, se transforme en scène de voyeurisme où l'objectivation aliénante atteint aussi bien celle qui regarde que ceux qui sont vus. Le couple finit par trouver sa raison d'être dans la seule intention de réduire le tiers, de le faire souffrir. La violence se retourne encore, lorsque les deux femmes combattent avec force cris et gestes. Inès martèle le mot de « lâche » à double sens, ravivant la mauvaise conscience de Garcin à propos de sa lâcheté, et lui demandant de lâcher Estelle. Les derniers moments de la pièce, au paroxysme de la lutte, voient Garcin tantôt enlacé à Estelle, tantôt repris par le regard d'Inès. Tout le monde se tient et l'étreinte des couples se desserre sous l'emprise du tiers.

Plusieurs fois, la triade tente pourtant de trouver une combinaison qui n'exclue personne et instaure une harmonie. Après les faux aveux de Garcin et d'Estelle, brisés par Inès, les personnages décident de jouer franc jeu et d'avouer sincèrement leurs crimes. À tour de rôle ils dévoilent leur passé, mais la sincérité est viciée, car elle repose sur la fiction d'une vérité positive, isolable, alors que le passé de chacun n'a de sens que dans la situation présente, devant le regard des autres. L'aveu des fautes n'entraîne aucun pardon. Il génère même une nouvelle violence, car celui qui se dévoile donne prise aux autres dont il devient dépendant ; il exige donc la contrepartie. Estelle, en refusant d'honorer cette dette, devient la cible de ceux qui ont avoué. Garcin et Inès font alors passer un interrogatoire policier à Estelle. Le couple inquisiteur traque violemment le tiers, qui subit la loi du nombre. La violence, une fois installée, ne peut plus s'effacer. Elle maintient les trois personnages dans une situation d'inégalité permanente. Les propos d'entraide échouent. Si Garcin a compris que le salut sera collectif ou ne sera pas, il ne peut fonder l'entente sur une illusion de communauté.

Toute conciliation reste sans pertinence,

faute d'un projet commun. Le contrat lèse toujours un des membres, c'est pourquoi les personnages ne peuvent sortir de l'enfer en troquant leurs fautes par un mutuel acquittement, ni en s'exonérant de leur passé par un pacte de non-agression. Il y aura sans cesse un tiers qui dénoncera le contrat. Et comme aucun tiers transcendant, divin ou humain, ne se manifeste, il leur reste à trouver, au sein de leurs conflits, un mode de relation plus authentique.

Ces différentes combinaisons de la triade témoignent donc de la violence interne de l'ensemble et de la circulation du tiers, agent ou patient : « Le bourreau, c'est chacun de nous pour les deux autres » (*HC*, p. 42), a découvert Inès. Le « nous » n'est jamais fusionnel, mais toujours conflictuel. Et la triade témoigne parfaitement de cette lutte permanente des consciences, d'autant plus qu'elle interdit cette complicité aveugle, encore possible dans le couple : les yeux dans les yeux, deux consciences peuvent se perdre dans la buée de leur regard ; mais si un tiers les observe, la cécité disparaît. *Huis clos* décline continûment le chiffre trois, dans les événements rapportés, dans la structuration des relations, dans la construction des phrases, jusqu'à la fin de la pièce qui déploie de nombreux rythmes ternaires. Les trois personnages y reprennent successivement les mêmes mots : « morte », « pour toujours », et scandent ce rythme : « Morte ! Morte ! Morte ! Ni le couteau, ni le poison, ni la corde » (*HC*, p. 94).

Le tiers joue donc un rôle négatif puisqu'il ajoute une violence permanente au conflit entre moi et autrui, et qu'il rompt systématiquement les couples de consciences. Mais en fait, il déjoue l'inauthenticité des relations. Il génère ainsi une dynamique, à partir de laquelle doit sortir une solution autre que celle d'une morale fondée sur des valeurs nécessairement factices, ou d'un contrat qui repose sur des droits arbitraires. Le théâtre de l'existence ayant présenté les épreuves de la conscience, aux prises avec la chair, autrui et le tiers, vise aussi à présenter la surrection de la conscience, dans son effort pour se dégager de la nécessité et de l'aliénation. L'imaginaire lui permet d'exprimer cette liberté.

IV   IMAGINER L'HUMAIN

1. L'IMAGINAIRE

« Le théâtre est la présentation de l'homme aux hommes à travers des actions imaginaires » (*TS*, p. 88), écrit Sartre. Il est essentiel de comprendre ce que signifie l'imaginaire et l'usage que le dramaturge en fait. Les premiers travaux philosophiques de Sartre ont été consacrés à l'imagination, et il y montrait notamment que la conscience réalise sa liberté par cette faculté de poser le monde à distance. En effet, l'imagination ne se réduit pas à l'invention d'images, elle implique un rapport au monde, une façon de nier le réel, puisque l'image d'un objet implique l'absence de cet objet. Imaginer n'est pas percevoir, et la conscience imageante constitue un irréel qui néantise le réel. Or la situation de la conscience dans le monde appelle l'imaginaire, dans la mesure où elle exige toujours un dépassement du réel. Mais ce choix de l'imaginaire prend différents sens, selon l'intention qui l'anime. La conscience peut y trouver une échappée qui la délie d'un monde réel trop contraignant. Tel est le pouvoir merveilleux de l'imaginaire, fait d'illusions enchanteresses, et qui approche parfois la névrose lorsque la référence au monde réel n'est plus maîtrisée. Dans une autre démarche, l'imaginaire peut donner à la conscience un pouvoir de se projeter en avant, d'essayer irréellement certaines propositions. Il s'intègre alors à l'activité mondaine de la conscience et devient un auxiliaire de l'action concrète.

Le théâtre ne présente donc pas des fictions en toute innocence. Il dispose un imaginaire qui en appelle à telle ou telle attitude de la conscience. Même si le public choisit lui-même son mode de relation aux images qui lui sont présentées, l'intention de l'auteur, et surtout la construction, la mise en scène orientent l'imaginaire : le spectateur est sollicité par les images, soit pour s'y livrer sans distance et se laisser mener hors de la réalité, soit pour y éprouver la distance qu'elle engage à l'égard du réel, et pour revenir ensuite à cette réalité hypothéquée.

En adoptant le genre théâtral, Sartre

s'explique donc avec ces différentes options, représentées par certains types de pièces ou certains dramaturges. Il critique le théâtre bourgeois qui demande une sympathie du public et se sert de cette complicité pour présenter des images flatteuses. Le spectateur bourgeois se voit représenté sur scène, et même si les traits sont ridicules, il s'agit toujours d'une caricature, qui n'engage que la surface des êtres, et non leur position sociale. Les comédies de mœurs, les pièces de boulevard, les drames sentimentaux émeuvent le public sans jamais le mettre en question. L'image de l'homme est présentée en extériorité, elle reste une image au sens classique du terme, une chose inessentielle. Les hommes passent, avec leurs défauts, mais l'Homme universel demeure. La participation du public à l'imaginaire suit passivement l'intrigue proposée. Une fois le mirage passé, chacun retourne chez soi, inchangé, vaguement satisfait d'avoir rêvé pendant un moment, ou d'avoir vu confirmer l'éternelle faiblesse de la nature humaine.

Sartre souhaite donner une nouvelle direction au théâtre, dans son usage de l'imaginaire, et il tente de définir précisément les limites entre la réalité et l'image, dont il entend conserver la démarcation. Il se distingue ainsi de dramaturges qui ont, comme lui, contesté la « démarche en sympathie », mais en cherchant l'abolition des frontières séparant le réel et l'irréel, aux dépens de l'un ou de l'autre[1]. Genet, par exemple, surexploite l'imaginaire au point de mélanger les

1. Cf. *TS*, p. 169.

références, la fiction devenant une image d'image, dans un univers de reflets infinis. Le spectateur est piégé par l'imaginaire, dont il est contraint d'assumer les codes, même délétères. Brecht, au contraire, dénonce l'imagination, et la compromission fallacieuse qu'elle engage. Le spectateur qui se laisse fasciner par les images perd ses réflexes critiques et subit la fiction qui l'entraîne dans l'irréalité. Brecht l'utilise donc pour mieux la démystifier, exigeant un regard lucide et rationnel de la part du public. Enfin, une troisième possibilité consiste, comme l'a entrepris Artaud, à effacer la séparation entre le réel et l'image. La représentation transforme ce qui n'est qu'une fiction en une vérité concrète à laquelle participent les spectateurs ; l'imaginaire devient alors une réalité investie par le public agissant au sein du spectacle. Face à ces trois démarches contestant le théâtre bourgeois — survalorisation, dénonciation ou annulation de l'imaginaire —, Sartre procède d'une manière proche de la seconde, par la démystification des images. Mais il tente aussi de réhabiliter l'imaginaire, en lui conférant un rôle défini au sein du réel.

L'ICONOCLASME

Par l'emploi de la mise en abîme, Sartre démystifie l'usage théâtral de l'imaginaire. Il représente en effet, au sein de la pièce, des embryons de mises en scène. Plusieurs images sont proposées, émergeant de la situation, comme un théâtre dans le théâtre qui n'arrive pas à terme. Ainsi les personnages de *Huis clos* essaient-ils constamment de se représenter sur scène. Ils se mettent à distance d'eux-mêmes, élaborant des scénarios imaginaires qui restent sans effet. C'est pourquoi la pièce joue sur un registre parodique. Elle met à distance les décors réalistes, parodiant le logement bourgeois qui sert de décor. Elle s'amuse des mises en scène attendues : l'intérieur Second Empire du théâtre de mœurs, les instruments de torture de l'enfer. Le décalage instauré dénonce les imageries convenues. « Les pals, les grils, les entonnoirs de cuir » (*HC*, p. 15) deviennent risibles. Et pourtant, Garcin les appelle de tous ses vœux, préférant cet attirail à son épreuve intérieure : les imageries sont tellement rassurantes : « les brodequins, les tenailles, le plomb fondu, les pincettes, le garrot, tout ce qui brûle, tout ce qui déchire, je veux souffrir pour de bon. Plutôt cent morsures, plutôt le fouet, le vitriol, que cette souffrance de tête » (*HC*, p. 86).

De même, la façon dont les personnages se présentent les uns aux autres, et donc au public, dénonce les identités toutes faites, le jeu des rôles. « Joseph Garcin », « Inès Serrano », « Estelle Rigault » restent des marques de civilité. Le spectateur attend des images pour les identifier, et chacun en propose quelques-unes sur sa vie. Ainsi Garcin parle-t-il de sa femme, il l'imagine : « Elle est venue à la caserne comme tous les jours ; on ne l'a pas laissée entrer. Elle regarde entre les barreaux de la grille. Elle ne sait pas encore que je suis absent, mais elle s'en doute. Elle s'en va à présent. Elle est tout en noir » (*HC*, p. 32). Sartre se livre ici à une parodie de romanesque. L'image de la veuve qui vient chercher son mari à la caserne est un cliché. À la manière d'un synopsis, Garcin résume une intrigue, il ébauche une mise en scène, dans un style mélodramatique. Le personnage se fait du cinéma, il invente des histoires dans lesquelles il peut se projeter ; il tente d'abuser les spectateurs par la même occasion. Mais la supercherie de l'imaginaire est dénoncée rapidement, et le scénario facile ne prend pas.

Huis clos démystifie les « histoires », ces fictions qui jouent sur un imaginaire à bon marché, brisées dès qu'elles s'installent sur la scène. *Les mouches* dénonçaient déjà cette mystification collective par l'imaginaire, avec l'épisode du grand prêtre faisant croire à la sortie des morts. Le théâtre de Sartre intègre donc des images dans la fiction pour mieux les condamner. Si ces mises en scène internes réussissaient, nous serions renvoyés d'image en image, dans une mise en abîme imaginaire, miroir contre miroir, à l'infini. Mais Sartre, à la différence de Genet, maintient la référence au réel et brise ces tentatives de fuite dans l'image. D'où l'effet parodique : le théâtre de Sartre est iconoclaste.

La démystification de l'imaginaire s'exerce doublement : au plan externe de la représentation théâtrale, par la mise en échec des images proposées aux spectateurs ; et au plan interne de la pièce, par la comédie de la mauvaise foi que jouent les personnages. Sartre montre en effet les procédés de la réflexion complice et les mensonges que la conscience se fait à elle-même. La mauvaise foi consiste à vouloir enfermer l'homme dans ce qu'il est, c'est-à-dire à refuser sa liberté. Sartre en a présenté plusieurs figures dans *L'Être et le Néant*[1] : celle de la femme courtisée qui feint d'ignorer les avances, abandonnant sa main tout en voulant maintenir une conversation désincarnée ; celle, fameuse, du garçon de café qui joue à *être* garçon de café, faisant le service avec une application mécanique. Le comportement ludique devient mauvaise foi lorsque la conscience prend son rôle au sérieux, lorsqu'elle y coule son identité, transformant une simple fonction en nature humaine. Cette attitude relève d'une inauthenticité, d'un refus d'assumer ses choix, comme le montrent les personnages de *Huis clos*. À la manière de la femme courtisée, Estelle ne veut pas voir la réalité présente et cherche des artifices lui offrant l'illusion d'une vie décente. Ainsi propose-t-elle un artifice de vocabulaire qui évite de nommer la mort : « Oh ! cher monsieur, si seulement vous vouliez bien ne pas user de mots si crus. C'est... c'est choquant. [...] S'il faut absolument nommer cet... état de choses, je propose qu'on nous appelle des absents, ce sera plus correct » (*HC*, p. 31).

Les trois personnages se jouent perpétuellement la comédie, et s'inventent des rôles, des images qui ont pour but la constitution d'une identité : Garcin a tiré sa femme du ruisseau, Estelle était une pauvre orpheline qui s'est sacrifiée pour son frère malade ; ils jouent à « la petite sainte » et au « héros sans

1. *L'Être et le Néant,* p. 94-108.

reproche » (*HC*, p. 41). Les images servent d'alibis aux personnages pour masquer leurs lâchetés. Cependant la lumière de l'enfer élimine les clairs-obscurs de la conscience, ces ombres où elle cache ses faiblesses. Garcin a vécu en imaginant qu'il était un héros. Mais l'action authentique ne repose jamais sur des images toutes faites, sinon elle se transforme en une geste épique. « Tu te passais mille faiblesses parce que tout est permis aux héros, dit Inès à Garcin. Comme c'était commode ! Et puis, à l'heure du danger, on t'a mis au pied du mur et... tu as pris le train pour Mexico » (*HC*, p. 90). *Huis clos* dénonce ainsi le théâtre intérieur des consciences, les simulacres qui les dérobent aux impératifs de la situation concrète.

La fin des *Mouches* montre aussi la mauvaise foi d'Électre : elle a constamment imaginé le meurtre, au point de satisfaire sa haine dans cette image. L'imagination a joué un rôle de substitution au réel et Électre a figé ses désirs dans le scénario qu'elle a rêvé, construit dans l'attente. L'imagerie a pris le pas sur la réalité ; la réalisation du désir ayant été trop longtemps retardée, Électre n'assume plus le meurtre. Et Jupiter lui souffle tous les arguments de la mauvaise foi, la comédie des remords : les désirs de vengeance n'étaient que les rêves d'une petite fille blessée dans son orgueil. Cette fois, c'est la comédie de l'enfance et de l'innocence qui sert d'alibi : « Toi, pauvre petite, sans jouets ni compagnes, tu as joué au meurtre, parce que c'est un jeu qu'on peut jouer toute seule » (*M*, p. 230). L'imagination joue donc un rôle pernicieux, puisqu'elle favorise la mauvaise foi de la conscience. Les deux pièces en font la représentation parodique.

Toutefois l'imaginaire est aussi une production par laquelle la conscience exprime sa liberté, et elle ne se limite pas à la constitution des clichés. Certes, comme on vient de le voir, l'imagination favorise une cécité à l'égard du réel, une propension à l'immanence de la conscience qui se réfugie dans l'en-soi, se fige dans la représentation d'elle-même. Mais fondamentalement, elle exprime une transcendance qui permet à la conscience de prendre de la hauteur à l'égard du monde mis à distance. Sa dimension créatrice est donc compatible avec une analyse lucide de la réalité. La fiction trouve ainsi une légitimité dans l'action.

LA FICTION CRÉATRICE

Cet emploi de l'imagination se manifeste dans la constitution de l'identité d'Oreste. En effet, le fils d'Agamemnon n'est pas encore Oreste lorsqu'il arrive à Argos. Culturellement, le spectateur a des images préconçues de l'*Orestie*, et l'itinéraire du personnage s'effectue dans un monde de références au sein duquel doit se forger un nouvel Oreste. La fiction présente des hypothèses, des possibilités de destin, pour un Oreste hypothétique. Le début des *Mouches* ménage un triple jeu sur sa venue : Oreste arrive masqué, il cache son identité à Jupiter, et le dieu feint de ne pas le connaître. Le dialogue s'engage sur un objet imaginaire, puisqu'on parle d'un absent, peut-être même d'un mort. Oreste n'est qu'une fiction, que l'on peut manipuler en l'incarnant de mille façons. Les images se constituent à partir d'un analogon, une figure d'Oreste, à laquelle on donne des consistances irréelles :

« JUPITER : Imaginez qu'il se présente un jour aux portes de cette ville...

ORESTE : Eh bien ?

JUPITER : Bah ! Tenez, si je le rencontrais alors, je lui dirais... je lui dirais ceci : " Jeune homme... " Je l'appellerais : jeune homme, car il a votre âge, à peu près, s'il vit. À propos, Seigneur, me direz-vous votre nom ?

ORESTE : Je me nomme Philèbe et je suis de Corinthe. Je voyage pour m'instruire, avec un esclave qui fut mon précepteur » (*M*, p. 118).

Suit un discours à double sens par lequel Jupiter s'adresse à l'Oreste imaginaire à travers le Philèbe de composition. Sartre emprunte un procédé de la comédie classique, qui permet à un valet de dire au maître ses vérités. Mais la fiction prend ici une valeur démiurgique, puisque Oreste n'est pas encore défini.

L'emploi du conditionnel, dans le discours de Jupiter, présente le personnage sur le mode de l'hypothèse. Plusieurs rôles sont disponibles : « brave capitaine d'une armée bien batailleuse », vengeur d'Agamemnon, ou encore, tel qu'il se présente, jeune Corinthien. Ces images permettent de soupeser le personnage, d'essayer des rôles, de constituer des incarnations. Oreste, en se déguisant, joue son identité, il la met à distance. La représentation la plus forte, la plus définie, se trouve dans la conscience d'Électre, et la question inaugurale consiste à savoir si Oreste va s'identifier au désir qu'elle a de lui. Dans ce royaume d'images se dessine une dialectique entre l'Oreste imaginé et l'Oreste réel. Le débat est manifeste à la scène 4 du premier acte. Au cours du dialogue entre le frère et la sœur, Électre fait les questions et oriente les réponses. Oreste essaie de tenir son rôle d'étranger, résistant à l'appel implicite qui exige sa conformité à l'image modèle, telle qu'Électre la représente : « Suppose qu'un gars de Corinthe, un de ces gars qui rient le soir avec les filles, trouve, au retour d'un voyage, son père assassiné, sa mère dans le lit du meurtrier et sa sœur en esclavage, est-ce qu'il filerait doux, le gars de Corinthe, est-ce qu'il s'en irait à reculons, en faisant des révérences, chercher des consolations auprès de ses amis ? ou bien est-ce qu'il dégainerait son épée, et est-ce qu'il cognerait sur l'assassin jusqu'à lui faire éclater la tête ? — Tu ne réponds pas ? » (*M*, p. 135). Oreste n'est donc qu'une supposition, et il retarde le moment de l'identification. Le double jeu continue avec l'arrivée de Clytemnestre.

Tout le premier acte déroule les hypothèses, les images d'Oreste jeune homme, frère, fils. La situation se renverse à l'acte suivant, lorsque Oreste se dévoile devant Électre. Cette fois, c'est elle qui lui refuse son identité. Faute d'une exacte coïncidence avec le frère imaginé, elle n'accepte pas cette figure d'Oreste. Elle maintient le frère rêvé, imaginaire. Oreste étant cependant présent, son imaginaire fonctionne à partir de vagues analoga du père. Nous retrouvons un imaginaire positif, composé d'images figées, et donc nécessairement décevantes. Oreste s'exprime sur un mode imaginaire plus créateur, puisqu'il évalue, soupèse et détruit les images imposées, pour se constituer lui-même une identité : « Ce reître irrité que tu attendais, est-ce ma faute si je ne lui ressemble pas ? » (*M*, p. 175) déclare-t-il à Électre. Les doutes qu'il exprime sur son avenir et sur lui-même témoignent d'un imaginaire négatif qui manie l'irréel pour mieux agir dans le réel. Oreste se plaint d'être un fantôme au milieu des fantômes (*M*, p. 176), précisément parce que les images se dispersent, et parce qu'il est encore un irréel. Le monde se referme derrière lui sans qu'il y ait laissé de traces, sans qu'il se soit compromis dans les choses. Oreste imaginaire manque de chair. Il lui faut trouver une densité d'être, pour incarner enfin le nouvel Oreste. Car il s'agit bien, à travers ces errements, de réinventer l'humain.

2. LA FRACTURE

LA PORTE

L'invention de l'homme est présentée comme un passage dont les étapes agencent une sorte de rituel. Éminemment symbolique, la porte sépare l'état profane de l'univers sacré, elle constitue le seuil à franchir. Entrer et sortir, tel est l'enjeu spatial et symbolique des deux pièces, comme dans presque tout le théâtre sartrien[1]. Toutefois la façon d'y parvenir, et surtout le sens de la démarche diffèrent. Dans *Les mouches*, c'est évidemment la porte du palais qu'Oreste doit ouvrir. Le fils d'Agamemnon a été chassé, mis à la porte, et il cherche à rentrer dans son royaume. Oreste fait la description de cette porte, appréciant la résistance de ses battants, et il ébauche un discours élégiaque à son enfance perdue : « Ma vieille porte de bois. Je saurais trouver, les yeux fermés, ta serrure. Et cette éraflure, là, en bas, c'est moi peut-être qui te l'aurais faite, par maladresse, le jour qu'on m'aurait confié une lance » (*M*, p. 124). Durant toute cette tirade, Sartre file des métaphores qui feraient les délices d'un psychanalyste, imaginant Oreste entrant et sortant dix mille fois, arc-bouté, ou à cheval. Mais si l'on reste dans la symbolique de l'identité, la question pour Oreste est de trouver la clef de cette porte derrière laquelle se trouve une issue à ses contradictions, une solution pour combler son vide, derrière laquelle il y a cette chair dont il a besoin pour se constituer. L'éraflure signale la violence nécessaire à l'ouverture de la porte, une marque à imprimer sur la chair redoutée et convoitée.

Les espaces scéniques de la pièce disposent ainsi le chemin de l'initiation, le nécessaire passage, qui se dessine comme une fracture. Le premier acte présente une place, un lieu ouvert, qui favorise les échanges ; mais, à Argos, la rencontre est manquée ; il y a longtemps que l'agora est déserte, faute de véritables citoyens. Cette place illimitée est un espace sans propriété, un simple lieu de passage, sans racine, sans lien, si ce n'est la religiosité factice de Jupiter. Le premier tableau du deuxième acte resserre l'espace en lui donnant des limites symboliques : une plateforme et deux issues, avec d'un côté la caverne et de l'autre le temple. Ce lieu alternatif présente donc deux possibilités pour qu'Oreste trouve son chemin. D'une part, l'antre des morts, fermé par une porte en pierre noire, propose la voie du passé, du repentir et des morts ; de l'autre, un lieu sacralisé, hiérarchique, en haut des marches. Oreste ne choisit aucun des deux ; il demeure un inconnu dans la foule et c'est Électre qui descend jusqu'à lui. En revanche, dans le deuxième tableau du deuxième acte, Oreste est enfin entré dans le palais, guidé par sa sœur. Il se trouve au cœur de la cité, dans le lieu clos du meurtre. Son trajet à l'intérieur du palais témoigne du franchissement progressif des portes : c'est encore Électre qui circonscrit l'espace en barricadant la porte dans la salle du trône, empêchant Égisthe de se dérober à l'épée d'Oreste.

Cependant Oreste franchit seul la dernière porte, celle qui mène au saint des saints, dans la chambre de la reine, c'est-à-dire dans le ventre où doit s'écrire le nom de l'homme à venir. Mais une fois entré (ou rentré), il faut sortir, et Sartre déplace le lieu clos qu'il transfère dans le temple d'Apollon. Oreste ne devra donc pas sortir de l'espace du pouvoir royal, mais plutôt d'un lieu éthique, où repenser le lien de parenté, comme le lien social. Avec Apollon, la divinité a troqué la culpabilisation pour la protection des créatures. Dans la tragédie grecque, Apollon requiert la vengeance, mais il est aussi le dieu des errants, de ceux qui n'ont pas encore trouvé leur lieu d'élection. C'est donc depuis son temple qu'Oreste réalise sa « sortie ». Après avoir trouvé porte close en arrivant dans la cité, Oreste a franchi la porte du palais, il est passé plusieurs fois devant le trône, mais il est ressorti par la porte de bronze du temple. Il n'a pas fondé de nouveaux liens, et reste donc extérieur à son peuple. D'où l'équivoque sur le statut d'Oreste dans la cité : ni un guide, ni un rédempteur. Il n'est pas sorti du palais, en vainqueur et roi d'Argos, mais du temple, en messager solitaire.

Avec *Huis clos*, la porte est explicitement désignée dans le titre de la pièce ; cependant les personnages sont, d'entrée de jeu, à l'intérieur et n'ont pas à « entrer ». Ils cherchent au contraire à sortir de l'enfer. Cependant l'espace concret recouvre un espace symbolique plus complexe que le simple emprisonnement. L'huis fermé engage les consciences à saisir ce que signifie vraiment l'« intérieur », et l'issue ne consiste pas, superficiellement, à sortir du salon infernal, mais à « s'en sortir ». Sartre organise une opposition entre le dedans et le dehors, entre ici et là-bas. Au début de la pièce, l'espace du dedans est continuellement troué par le dehors, puisque les personnages perçoivent encore la vie terrestre, et qu'ils s'accrochent à leurs souvenirs de là-bas. C'est ainsi que surgissent des noms, des référents externes, Gomez avec Garcin, Florence avec Inès, Roger avec Estelle. Dans cette situation inversée où discutent des morts vivants, ces individus extérieurs sont les cadavres que les consciences traînent derrière elles.

Peu à peu, le dehors s'efface et laisse s'imposer la brutale présence du dedans. Plus aucune transcendance n'est possible, ni l'imagination ni le rêve. Inès perçoit de nouveaux locataires de sa chambre puis tout se brouille : « Fini. Plus rien : je ne vois plus, je n'entends plus. Eh bien, je suppose que j'en ai fini avec la terre. Plus d'alibi. *(Elle frissonne.)* Je me sens vide. À présent, je suis tout à fait morte. Tout entière ici » (*HC*, p. 64). De même, Estelle constate amèrement qu'elle n'a plus aucun effet sur la danse de Pierre et d'Olga. « Il n'y a plus rien de toi sur la terre : tout ce qui t'appartient est ici » (*HC*, p. 69), lui explique Inès. Toutes les fenêtres se ferment. L'espace du huis clos se resserre pour devenir un vrai tribunal où établir la vérité et la justice. Le vide imposé au personnage, l'anéantissement du dehors font table rase afin de mettre chacun en face de lui-même, afin de repenser l'homme et sa responsabilité. La claustration efface les images pour laisser place au discours authentique. Les consciences reviennent au point de départ, évaluent les projets, les contraintes, les actes ; elles mettent à plat les intentions, les réalisations, les conséquences.

Dehors, les jugements appartiennent à l'histoire en cours, ils dépendent des valeurs du temps. Dedans, c'est pour l'éternité qu'on juge, et le débat ne fait que commencer. Garcin assume enfin sa place :

« GARCIN : Fini : l'affaire est classée, je ne suis plus rien sur terre, même plus un lâche. Inès, nous voilà seuls : il n'y a plus que vous deux pour penser à moi. Elle ne compte pas. Mais toi qui me hais, si tu me crois, tu me sauves.

INÈS : Ce ne sera pas facile. Regarde-moi : j'ai la tête dure.

GARCIN : J'y mettrai le temps qu'il faudra.

INÈS : Oh ! tu as tout le temps, *Tout* le temps » (*HC*, p. 89).

Garcin organise sa défense. Les chefs d'accusation sont multiples, et ce ne sont plus l'histoire, ni les divinités qui jugent, mais les hommes eux-mêmes, alternant réquisitoires et plaidoyers. Garcin ne cherche plus à sortir, il est désormais « entré » dans le lieu. Il a fini par y habiter, par y exprimer son être. Le huis clos, espace du conflit, peut alors devenir un univers de l'authenticité où les consciences débattent en vase clos. De leurs plaidoiries dépend l'avenir de l'homme.

LA PAROLE

Le chemin vers l'authenticité réclame donc une médiation. La marche en avant nécessite aussi un retour sur soi, une démarche régressive. Le théâtre met en scène cette exigence par la parole, dans son acception la plus forte ; parler n'est pas occuper la scène par des mots, mais se dire. Les deux pièces mettent ainsi le langage en question, non pas dans une perspective critique, mais au contraire dans sa faculté d'exprimer pleinement une conscience. Le personnage doit arriver à « dire » ce qu'il ignore ou ce qu'il cache. La déclaration prend son sens dans l'acte de parole. À cet égard, la difficulté à parler révèle d'autant l'importance du langage. Dès la première scène des *Mouches*, Sartre fait intervenir un idiot qui n'arrive pas à formuler des phrases[1]. Il incarne la cité devenue muette, ayant refoulé le meurtre du roi. Le public découvre une situation d'aphasie qui donne à chaque mot la valeur d'un acte, d'un engagement.

Toutefois le langage est piégé. Il sert à tromper les autres, et il abuse parfois ceux-là mêmes qui s'en servent. En parlant, la conscience se meut dans un univers de significations qu'elle ne contrôle pas d'emblée. Cependant, si le langage est déréglé, si le signe ne renvoie plus expressément à son référent, cela ne tient pas à la langue elle-même, mais à ses utilisateurs et aux situations d'énonciation. En montrant la difficulté de communication et la trahison des mots, Sartre ne présente pas une structure qui fonctionnerait toute seule, à l'insu du sujet, comme le feront bientôt les dramaturges de l'anti-théâtre. Le langage est aliéné car il recèle la présence d'autrui.

Dans *Huis clos*, les personnages discutent fréquemment le sens des mots, et tentent de contourner les significations qui les

1. Un idiot qui a déjà un air de famille avec Flaubert, dont Sartre a étudié les problèmes langagiers au moment de l'enfance.

dérangent. Les termes de « confiance »,
« amour », « lâcheté » sont employés avec
des sens opposés, selon qu'ils servent la
défense ou l'accusation d'un personnage. La
« confiance » requise est tantôt une croyance,
une foi en l'autre, tantôt une crédulité des
uns et des autres, tantôt une complicité, un
pacte. L'« amour » est un joli mot pour exprimer
le désir de possession. La « lâcheté »
n'est qu'un mot pour Estelle, c'est une
condamnation dans la bouche d'Inès. Parler
entraîne ainsi la perte du sens voulu. C'est
pourquoi les personnages préfèrent les
phrases convenues, ou les formules floues.
Ils manient constamment l'indétermination,
comme en témoigne l'usage fréquent du pronom
démonstratif neutre « ça », qui maintient
l'imprécision : « c'est comme ça », « ça
dépend des personnes », « ça n'a aucune
importance », « j'adorais ça », « ça ne vous dit
rien », « ça n'est pas mal non plus », « sur tout
ça », rien que dans les treize premières
répliques.

Si parler engage, on peut aussi parler pour ne
rien dire, *afin* de ne rien dire. Telle apparaît
la fonction de répétition chez Garcin : le personnage
répète constamment ses phrases, à
intervalles irréguliers. Parmi beaucoup
d'autres redites, deux formules prennent un
tour singulier par cet effet : la répétition de
« je veux regarder la situation en face » (*HC*,
p. 16 et 17) exprime ainsi le contraire de ce
qui est affirmé ; de même la répétition, en
préposition et en adverbe, de « derrière »
(*HC, ibid.*) manifeste sa peur obsessionnelle

du refoulé. La réitération maniaque du personnage se retrouve dans ses gestes : Garcin a des tics. Il ne cesse de tourner la bouche comme une toupie. Le geste dénote l'angoisse, mais, plus profondément, il rend compte d'une fixation. La conscience se fige dans les mots et les gestes pour ne pas se découvrir. Le tic gestuel ou verbal est moins l'abandon qu'y voit Inès qu'une contraction, destinée à bloquer la parole.

L'évolution de la pièce montre le déliement progressif, la libération du sens retenu. La gesticulation laisse place à l'action dont la parole est un accomplissement. Mais l'aveu de Garcin n'intervient qu'après de nombreux détours. Le travail sur la mémoire et le langage nécessite un éclaircissement du sens des mots. Et Garcin n'arrive au fait qu'en ayant abandonné les formules alibis et les écrans qu'il a disposés pour masquer sa vérité. Adoptant le style de la confession, il commence par évoquer son ménage et s'accuse d'avoir maltraité sa femme. Il en rajoute même sur le sordide de l'affaire, racontant comment lui et sa maîtresse se faisaient servir le petit déjeuner au lit par sa femme. Le personnage s'accable, mais cette auto-flagellation publique est un écran. La femme de Garcin passe ses doigts dans les trous de la veste du fusillé ; il reste des vides dans l'existence de Garcin ; l'aveu réside encore au fond des trous de mémoire. Gomez y pointe de temps à autre, pour rappeler que la vérité se trouve au plus profond.

La parole elliptique laisse passer quelques mots révélateurs qui donnent accès au sens, qui déroulent le fil de la véritable déclaration. Le langage s'est dépouillé de ses tournures menteuses et manifeste brutalement la nudité des consciences en conflit. Garcin en vient à parler de sa désertion, il se défend violemment et manie l'injure. Sartre emploie ainsi un langage souvent familier et, surtout, il maintient la tension affective des dialogues par de très nombreuses phrases interrogatives et exclamatives. La parole, épreuve d'authenticité, suppose de réapprendre le langage, c'est-à-dire de se l'approprier. L'altercation témoigne de cette lutte pour reprendre un pouvoir sur les mots aliénés. En même temps, elle manifeste la nécessité du dialogue, car le langage est essentiellement une communication. La parole vivante et authentique implique à la fois un travail sur le langage et un travail sur soi.

Le retour de la conscience sur elle-même impose des heurts à la mesure de la violence intérieure qu'entraîne l'aveu. Le huis clos présente ainsi une sorte de psychanalyse collective qui conduit peu à peu les personnages au cœur de l'affect, à la source du choix. Le mouvement rétrospectif de la pièce donne son sens à l'enfer comme une descente au fond de soi. Mais dans la psychanalyse existentielle, à la différence des procédures analytiques courantes, l'autre est assumé comme tel. Il ne se réduit pas à une oreille tapie en sourdine ; il parle, il interroge, il interprète avec sa propre histoire. Le travail sur soi est mobilisé par la confrontation avec autrui, dans la violence des dialogues. Ainsi s'accomplit la parole vivante et plurielle qui déjoue les mensonges du monologue. La mise en question de Garcin en témoigne :

« GARCIN : Je voulais témoigner, je... j'avais longuement réfléchi... Est-ce que ce sont les vraies raisons ?

INÈS : Ah ! voilà la question. Est-ce que ce sont les vraies raisons ? Tu raisonnais, tu ne voulais pas t'engager à la légère. Mais la peur, la haine et toutes les saletés qu'on cache, ce sont *aussi* des raisons. Allons, cherche, interroge-toi » (*HC*, p. 79).

L'autre conscience relance constamment la question, oblige à descendre plus profondément, à chercher les véritables mobiles.

La confrontation favorise aussi les transferts par lesquels les consciences revivent leurs désirs. L'instabilité de la triade génère ainsi de multiples déplacements qui se révèlent au moment inattendu. Ainsi, Garcin et Inès inventent un scénario pour faire parler Estelle. Le procédé l'oblige à se dévoiler, soit en se reconnaissant dans cette histoire, soit en lui opposant une autre vérité. Or, c'est à ce moment-là qu'Inès se révèle : la situation se renverse lorsque Estelle demande : « C'est avec ces yeux-là que tu regardais Florence ? » (*HC*, p. 60). Dans cet interrogatoire d'Estelle, Inès revit effectivement la relation sadique qu'elle entretenait avec son amante. Tel est aussi le sens de sa chanson sur la décapitation des belles dames. Plus généralement, l'image de la guillotine rappelle la nécessité de trancher, de raccourcir les portraits en pied. En enfer, aucune convention sociale ne tient plus, les désirs se manifestent à découvert, on appelle désormais les choses par leur nom. Une fois le langage nettoyé et la parole libérée, les personnages se retrouvent « nus comme des vers » (*HC*, p. 52), « nus jusqu'aux os » (*HC*, p. 66).

3. NAISSANCE D'UN HOMME

La constitution d'Oreste exige elle aussi un parcours régressif. Pour fonder sa légitimité, Oreste doit revenir sur son passé et affronter les scènes qui ont déterminé son enfance. Le matricide ne prend son sens qu'au regard de cette réanimation des événements fondateurs. Si Garcin est affligé de tics qui l'empêchent de se dévoiler, Oreste hésite lui aussi à se déclarer. Ses résistances rappellent les atermoiements d'Hamlet, paralysé face à Claudius qui a réalisé ses désirs, le meurtre du père et le mariage avec la mère. Toutefois Oreste, moins œdipien qu'Hamlet, ne recule pas devant le meurtre de son beau-père, qu'il accomplit sans crainte. Celui de la mère semble plus complexe. Oreste ne désire pas épouser sa mère, mais il la tue pour la réinventer. Car dans le matricide se joue l'identité d'Oreste : en refusant la restauration du pouvoir paternel, il invente un nouveau mode de filiation.

LA MATRICE

Les références à la mère indiquent en effet la contestation et la recherche d'une parenté. Oreste désigne Clytemnestre et Égisthe en évoquant « une putain et son maquereau » (*M*, p. 121). L'invective, de type shakespearien, témoigne d'un rejet radical de la part du fils, et qui lui permet de mettre à distance sa filiation. Si la mère est une putain, elle est femme, et Oreste peut la traiter non en fils, mais en homme. À la fin du premier acte, lors de leur rencontre, la relation de parenté est soupesée, risquée, à la merci d'un malentendu. Clytemnestre ne sait pas que son fils est en face d'elle, et ses questions sur les parents d'Oreste mettent en cause, à son insu, sa propre maternité. Elles ont un effet de miroir inversé, lorsque Clytemnestre demande à Oreste s'il aime sa mère et n'obtient aucune réponse. L'inversion renvoie à l'amour déficient de la mère pour son fils. Elle déclare ne pas regretter Agamemnon, ce « vieux bouc », et s'apprête à évoquer son affection maternelle pour Oreste lorsque Électre l'interrompt brutalement. L'amour de la mère est donc suspendu.

Oreste se trouve en position d'orphelin, et sa situation d'exilé se présente comme un terrain vague : son père est déjà mort, déjà tué. L'absence du père favorise la liberté du fils qui n'est pas entré dans une logique de pouvoir et d'obéissance. Sartre l'explique dans *Les mots*, transformant la mort du père en une chance pour l'enfant : « Au milieu des Énées qui portent sur leur dos leurs Anchises, je passe d'une rive à l'autre, seul et détestant ces géniteurs invisibles, à cheval sur leurs fils pour toute la vie [...] je n'ai pas de Sur-moi[1]. » Mais Oreste est confronté à une autre absence, celle de la mère qui l'a aban-

1. *Les mots*, p. 19.

donné : en naissant il a trouvé une mère aussitôt perdue, il doit maintenant la retrouver pour la perdre délibérément. « Par ta mère, va-t'en » (*M*, p. 144), dit Clytemnestre à Oreste qui reprend, dubitatif : « Par ma mère... », interrogeant le lien ; doit-il agir « au nom » de sa mère, ou doit-il passer « par » sa mère, à travers elle ?

La progression d'Oreste implique un retour à la source. En revenant à Argos, le personnage vient évaluer, éprouver ses origines. La fréquence des termes spatiaux indiquant une entrée rend compte de ce désir de réintégrer l'œuf originaire. Nous avons déjà considéré l'importance du passage et de la porte, la nécessité d'aller « dedans », ou d'habiter vraiment « à l'intérieur ». Oreste désire retrouver une coquille pour se sentir enfin chez lui ; c'est pourquoi il envie la dépendance quasi naturelle de l'esclave qui « est *dans* sa ville, comme une feuille dans un feuillage, comme l'arbre dans la forêt, Argos est autour de lui, toute pesante et toute chaude, toute pleine d'elle-même ; je veux être esclave, Électre, je veux tirer la ville autour de moi et m'y enrouler comme dans une couverture » (*M*, p. 177). Les comparaisons avec le milieu naturel, et surtout l'image de l'enveloppe, témoignent de cette recherche d'un ventre à partir duquel rejouer la naissance. Oreste, en se lovant dans la ville couverture, retrouve une situation fœtale, c'est-à-dire fonde une nouvelle matrice. L'image intervient au moment décisif de la pièce, en son milieu, lorsque le personnage décide de mettre en œuvre sa rentrée. Le chemin est tracé, il ne reste plus qu'à plonger jusqu'à la source, comme Oreste l'explique à Électre : « Il faut descendre, comprends-tu, descendre jusqu'à vous, vous êtes au fond d'un trou, tout au fond... » (*M*, p. 180). L'acte fondateur doit le ramener au trou qui l'a vu naître, pour y « couler à pic » (*M*, p. 181).

Symboliquement le matricide vise à corriger la première matrice. La renaissance passe par un retour à la première naissance. Oreste enfante de lui-même dans la douleur d'un meurtre. Il est obligé de forcer l'entrée de la ville-mère en rouvrant ses blessures : « Je deviendrai hache et je fendrai en deux ces murailles obstinées, j'ouvrirai le ventre de ces maisons bigotes, elles exhaleront par leurs plaies béantes une odeur de mangeaille et d'encens » (*M*, p. 181). Les deux dimensions de l'acte apparaissent ici nettement : d'une part, Oreste s'attaque aux tripes et veut retrouver l'enfantement dans la saignée des chairs ; d'autre part, la renaissance sacralise un nouvel ordre. Le ventre devient le lieu originel qu'il faut intégrer par la violence, et sur lequel bâtir un avenir. Son image est souvent utilisée, déjà déployée dans les discours d'Electre qui rêve d'une fumée qui sorte des « ventres ouverts » (*M*, p. 170) de Clytemnestre et d'Égisthe. Elle compare Oreste à un animal prisonnier de sa propre chair, et qui doit se débattre pour sortir des entrailles, « comme les chevaux éventrés s'embrouillent les pattes dans leurs intestins ». Oreste est lié par sa chair à Clytemnestre, et il ne tranchera le lien qu'en assurant lui-même la cicatrice.

Les deux enfants se plaisent à imaginer le scénario de leur conception malheureuse. Ces images d'éventration et d'accouchement ont valeur de fantasmes par lesquels ils avilissent l'accouplement originel. Le frère et la sœur rejouent la scène primitive, fût-ce avec Égisthe, père de substitution, et tentent d'inventer une nouvelle fraternité sur le lit où ils ont été conçus. C'est au moment précis où Oreste prononce le terme de « couche royale » (*M*, p. 183) et qu'il demande à Électre de l'y conduire que sa sœur, pour la première fois, l'appelle « Oreste », et qu'ainsi elle le *reconnaît*. Le fils veut tout ressaisir, retrouver la gestation, y renouer avec sa sœur, afin d'organiser une nouvelle conception. Pour cela, il entreprend une réappropriation des lieux et des êtres. Par cette genèse, Oreste acquiert une parenté et un sol : « Tu es *ma* sœur, Électre, et cette ville est *ma* ville » (*M*, p. 180). Il ne vit plus sur un mode imaginaire, il ne flotte plus ; l'Oreste figuré est devenu un Oreste en propre.

Par conséquent, il convient d'accorder une attention particulière au récit du matricide. En effet le meurtre de Clytemnestre n'a pas lieu sur scène, à la différence de celui d'Égisthe. Il pèse un interdit sur cet acte qui touche au plus fondamental. L'information est distillée : ce sont tout d'abord les cris de Clytemnestre au moment du meurtre, puis des bribes qu'Oreste consent à révéler, sur la malédiction jetée par la mourante. Ensuite, vient le rêve d'Électre qui en donne une version hyperbolique : le sang maternel dégouline dans tout le palais, déclenchant une hémorragie cosmique ; le matricide a fait saigner l'univers. Les Érinyes prennent le relais en insistant sur l'atrocité du crime, par l'accumulation de détails sordides, la dizaine de coups frappés, le bruit de l'épée dans la blessure, la douloureuse et lente agonie. Enfin, Oreste raconte la scène et assume son horreur. Le troisième acte est construit sur cette progressive déclaration. Oreste se résume et s'invente en cet acte.

Si les personnages de *Huis clos* doivent arriver à parler, Oreste doit parvenir à trancher. Son épée n'avait jamais servi, encore vierge de toute violence ; or il frappe plusieurs fois Égisthe, taillade les mains de Clytemnestre — reprenant le geste antique qui devait désarmer le retour vengeur du mort —, sa voix coupe Électre « comme un couteau » (*M*, p. 210), et il fend la foule lors de son départ. Oreste se fait hache, couteau, épée, pour mieux trancher le cordon ombilical. Pour apprécier le matricide tel que Sartre le présente, il convient de rappeler ses sources[1] : Eschyle montre l'hésitation d'Oreste qui tue sous l'injonction de son ami Pylade et, lors d'un ultime dialogue avec sa mère, agit en digne fils d'Agamemnon. Sophocle présente le meurtre par Oreste avec les encouragements vengeurs d'Électre. Euripide fait intervenir la ruse d'Électre qui feint d'avoir accouché pour faire entrer sa mère dans sa maison où gît déjà le cadavre d'Égisthe. Sartre modifie le déroulement du meurtre et, surtout, il inverse l'attitude d'Électre qui, dans *Les mouches*, demande à

1. Cf. Dossier, p. 165, Le matricide : Eschyle, Sophocle, Euripide.

son frère d'épargner leur mère. C'est seul et contre tous qu'Oreste tue Clytemnestre, et qu'il assume pleinement la responsabilité du crime. Il agit sciemment, en pleine lumière, contrairement à l'Oreste de Giraudoux qui frappe au hasard, en fermant les yeux. Le retard du récit n'est destiné qu'à ménager la renaissance d'Oreste, sa sortie, et à poser les bases d'une nouvelle filiation.

Au moment du choix, Oreste rappelle sa paternité, s'inscrit dans la lignée des Atrides ; appelé par Électre le « fils d'Agamemnon et de Clytemnestre » (*M*, p. 172), il obéit à la loi des morts, reprenant, comme Antigone, l'héritage des ancêtres : « Par les mânes de mon père Agamemnon, je te le jure : je suis Oreste » (*M*, p. 173). Mais le sens de l'acte qu'il accomplit, l'intériorisation de cette paternité font de lui un autre homme que la réplique du père. Oreste n'est pas le guerrier aux yeux rouges. Ses hésitations tiennent à ce qu'il n'entend pas assumer la paternité comme un fardeau. C'est par cette dissemblance avec le père que le fils peut trouver son identité propre. Dans la version de Sartre, la constitution d'Oreste est donc progressive, à la différence des pièces antiques dans lesquelles Oreste est « révélé » de fait, par une mèche de cheveux, ou par la reconnaissance d'un vieillard. Si l'Oreste des *Mouches* est masqué, cela ne tient pas simplement à la nécessité de ruser, mais à l'invention progressive du fils.

Oreste choisit sa filiation, en la modifiant. Et l'originalité de sa démarche apparaît nettement si on la compare aux personnages qui l'entourent. Enfermées dans leur être familial, la mère et la fille, tout en se détestant, font prévaloir la répétition, Clytemnestre se reproduisant en Électre. Au contraire, Égisthe a pris indûment le pouvoir et s'est imposé en tuant le roi (dans la version de Sartre). Mais il ne s'est fondé sur aucun passé et gouverne en imposant la crainte. Égisthe est un Oreste qui se serait auto-institué ; il flotte, sans avoir trouvé une assise. Il se définit lui-même comme un « néant des sables sous le néant lucide du ciel » (*M*, p. 192). Sartre donne au personnage des allures très faustiennes. Égisthe est las de son pouvoir ; cette âme noire et désertée, rongée de l'intérieur, regrette la plénitude sensible du monde. Oreste dépasse donc l'alternative qui oppose d'un côté l'être, le plein, l'identique, et de l'autre, le néant, le vide, l'étranger. Il se crée à partir de ce qu'il est déjà. Il dissout l'être passé pour viser sa refondation. Ainsi, Oreste ne répète pas Agamemnon, mais il ne s'invente pas *ex nihilo* : il compose avec la structure d'appel qui le requiert, et il reforme son identité en la déformant.

L'HUMAIN

Cette réinvention du fils engage l'humanité entière. Car Oreste, dans son choix, implique l'homme dans sa possibilité d'échapper au destin et au mal. « En se choisissant lui-même dans sa liberté, [chacun] choisissait la liberté de tous[1] », écrit Sartre en 1944, à propos des résistants. Le personnage constitue un universel singulier dans lequel se joue le

1. Cf. Dossier, p. 162, La liberté et l'Occupation.

sort des hommes. Son histoire, ses actes, ses attitudes lui appartiennent en propre, mais incarnent aussi, dans leur singularité, un comportement possible pour tout homme. Par conséquent, l'action d'Oreste va plus loin que la vengeance d'un fils, elle vise à instaurer un nouvel ordre, celui de l'homme. Son enfantement correspond à une sortie hors de la nature. Ainsi Jupiter, menacé dans sa création, veut sans cesse ramener Oreste à l'ancien ordre, et il lui remonte l'infinie petitesse de l'homme. Soudain pascalien, il le traite de « ciron » (*M*, p. 234), de minuscule animal au regard de l'immensité naturelle, ce qui devrait conduire l'homme à beaucoup d'humilité. Les invectives du dieu témoignent de l'orgueil insensé d'Oreste, la créature échappant aux lois de l'univers, inventant l'humain sur le deuil de la nature. L'homme est un « fils dénaturé » (*M*, p. 236), « hors nature, contre nature » (*M*, p. 237). Par cet arrachement au déterminisme, la créature devient créatrice et prend son indépendance.

Il faut tuer la mauvaise mère, la nature marâtre, et renaître à partir d'une meilleure matrice. L'homme exprime sa liberté en combattant sans relâche la nature qui le retient et le nie : « La nature a horreur de l'homme » (*M*, p. 237), précisément parce que l'homme y fait du vide, attente à sa plénitude. La conscience humaine est cette force néantisante qui crée un vide au sein de la nature et fonde un univers humain dans cette faille. Car si l'homme est fils de la nature, l'homme véritablement humain est fils de l'homme. Les enfants du limon doivent s'arracher à la terre pour inventer une nouvelle espèce, pour entreprendre la mutation de l'animal en homme. *Les mouches* en proposent l'enfantement, du crépuscule à l'aube. Le meurtre est accompli à la tombée de la nuit, et le jour se lève sur la renaissance de l'homme. Sartre choisit de terminer la pièce au matin, qui correspond à l'intériorisation de l'acte, à l'enfance de l'humanité. L'*Électre* de Giraudoux finissait aussi sur l'aurore, mais dans les flammes et sur les ruines de la ville. L'enfantement, symbolisé par le vieillissement des Euménides, concernait la vengeance. En revanche, le matin des *Mouches* présente la sortie d'Oreste, l'accouchement du nouvel homme.

Mais une fois trahis les dieux et la nature, il reste un monde dénué de toute valeur, de tout message. L'homme naissant se retrouve sur une terre déserte et dévastée, aux prises avec d'autres hommes démunis. Il est confronté à une autre violence, qui menace autant sa liberté que son existence, celle du mal. L'époque à laquelle Sartre écrit *Les mouches* et *Huis clos* met chacun en présence du mal radical, de la négation de l'humain. Il importe donc de savoir si, en dépit ou en face de cette destruction, il est encore possible de croire en l'homme. Sartre ne compte sur aucun rachat et voit dans le mal une expression délétère de la liberté. L'homme peut aussi bien inventer l'humain que l'anéantir. C'est à partir de ce constat que Sartre fonde un humanisme exigeant : il n'existe pas de nature humaine et l'homme n'existe jamais une fois pour toutes. Chacun est responsable de l'humanité dans la mesure où elle est une invention fragile, constamment menacée.

Le sort de l'humain se joue dans les situations extrêmes, lorsqu'on torture des hommes pour les faire parler, par exemple. Sartre voit dans le courage des résistants le refus du mal et l'affirmation de l'humain : « Ils en étaient encore à la création du monde et ils avaient seulement à décider souverainement s'il y aurait dedans quelque chose de plus que le règne de l'animal. Ils se taisaient et l'homme naissait de leur silence. Nous le savions, nous savions qu'à chaque instant du jour, aux quatre coins de Paris, l'homme était cent fois détruit et réaffirmé[1]. » L'humain est affaire non pas de croyance mais de volonté. C'est conscient de cette précarité et de cette exigence qu'il faut penser les relations humaines, et traquer en soi-même la frontière de l'humain et de l'inhumain. « Je suis condamné à n'avoir d'autre loi que la mienne » (*M*, p. 237), déclare Oreste : l'humanité n'est pas fondée sur des valeurs et chacun reste libre de nier ou d'inventer l'humain. Le tribunal de *Huis clos* n'est légitimé par aucune loi qui puisse établir la culpabilité des uns ou des autres. Il faut en décider par soi-même, mais avec les autres. Garcin reste en enfer pour délibérer sur le sort de l'homme en lui, en compagnie d'autres humains qui sont allés au seuil du mal radical : « Tu sais ce que c'est que le mal, la honte et la peur, dit-il à Inès. Il y a des jours où tu t'es vue jusqu'au cœur — et ça te cassait bras et jambes. Et le lendemain, tu ne savais

1. Cf. Dossier, p. 152, Le mal radical.

plus que penser, tu n'arrivais plus à déchiffrer la révélation de la veille. Oui, tu connais le prix du mal » (*HC*, p. 88). Le débat reste ouvert, aussi bien sur ce qui a été fait que sur ce qui reste à faire.

La fin des deux pièces ne clôt pas la question. *Les mouches* et *Huis clos* présentent un théâtre fondé sur l'action, mais qui ne se résume pas dans l'acte. Après sa réalisation, l'acte devient de l'agi, du passé à dépasser de nouveau. Oreste veut entraîner Électre au-delà des fleuves et des montagnes, vers d'autres Orestes et d'autres Électres, car l'identité n'est jamais figée : tout est neuf, tout peut recommencer. Oreste rentre dans l'anonymat et laisse les Argiens décider de leur sort. Il est reparti en homme libre, mais sans avoir convaincu Électre, et sans avoir fondé le lien entre les hommes. Il manque encore à la création de l'humain l'invention d'une nouvelle fraternité qui puisse faire de chacun le fils de tous[1]. Il revient aux spectateurs de recomposer le projet et d'y apporter leurs incarnations, leurs solutions singulières ; le sens est ouvert, susceptible de nouvelles orientations, dans sa nécessaire reprise.

De même, les trois personnages de *Huis clos* n'en ont pas fini de s'expliquer. La pièce se termine par le paradoxal « Eh bien, continuons » (*HC*, p. 95) de Garcin. La formule prend place dans l'éternité de l'enfer et peut être comprise comme l'éternel retour de la conversation, donnant à la pièce une structure circulaire. Mais surtout, Sartre refuse de conclure, de donner un mot de la fin. Le

1. Telle que le groupe assermenté la définira : « Nous sommes frères en tant qu'après l'acte créateur du serment nous sommes *nos propres fils*, notre invention commune » (*Critique de la raison dialectique*, p. 535).

dénouement classique de l'intrigue est rem-
placé par une fin à suivre dont le public est
le dépositaire. La question de l'homme
demeure en suspens, laissée à la liberté du
spectateur engagé.

CONCLUSION

Ces deux pièces de Sartre inaugurent ainsi
un nouveau mode de relation au public. Le
théâtre n'est plus un divertissement pour des
spectateurs cultivés. Sartre, en reprenant la
tragédie antique, cherche à fonder à nouveau
une dynamique forte unissant le spectacle à
la cité. Il rappelle un temps où le théâtre grec
s'intégrait à la vie des citoyens, par ses sujets
et ses modes de représentation. Sartre se distingue des reprises antiques, à la mode française, et ne réduit pas les sources grecques
à des motifs. Dans les années 40, l'*Orestie*
n'a d'intérêt que si elle résonne dans les
consciences opprimées du temps présent.
Chacun doit se reconnaître dans la situation
des Atrides et prendre position à l'égard des
choix incarnés par les personnages. Et si les
pièces des tragiques grecs ont encore une
telle puissance, c'est qu'elles touchent à
l'essentiel de l'existence humaine. Sartre en
reprend l'esprit pour interroger la fatalité,
pour repenser l'action des hommes. Même
lorsque le sujet de la pièce n'est pas repris de
l'Antiquité, le sens tragique est toujours à
l'œuvre, comme dans *Huis clos*. Des ques-

tions semblables y sont présentées, sur l'action, les intentions, la liberté, la responsabilité, avec des contextes et des issues divers.

Le théâtre de Sartre est une entreprise exigeante, qui traite de l'homme dans sa radicalité, aux prises avec les épreuves de l'existence, la chair, les autres, la violence collective. Il est aussi exigeant par l'effort qu'il requiert du public, sollicité par un débat philosophique. Théâtre d'idées, et non théâtre à thèse, il met en scène des options, des attitudes qui impliquent des visions du monde. Sartre ne donne pas de leçon, ni de solution, il met en conflit des choix individuels. C'est dans la chair même d'un monde, dans la vie concrète qu'il présente ses idées. L'imaginaire y prend une place considérable, jouant des mythes et des métaphores. Mais loin d'être décoratif, cet imaginaire constitue l'incarnation même du sens et de ses contradictions.

Telle apparaît la profonde originalité du théâtre sartrien, dans le dialogue implicite mené avec Brecht, Artaud ou Genet. Il entreprend une incarnation réciproque des personnages et des spectateurs, au sein d'une fiction qui met en jeu l'existence et dans laquelle doit se décider le sort de l'homme. Ainsi, *Les mouches* renversent complètement le sens du destin, transformé en sacrifice humain au nom de la liberté. La tragédie met l'homme dans une situation limite, où il doit s'arracher à la terre et à lui-même pour affirmer sa liberté. *Huis clos* reprend cette radicalité de la décision extrême. Rompant avec la construction classique de l'intrigue, Sartre présente une séquestration qui contraint les consciences à se voir dans les yeux des autres et à justifier leurs choix passés. Cette situation dramaturgique devance les expériences contestataires du théâtre des années 60. Mais ici, la critique ne vise pas le seul genre littéraire, elle met en cause l'homme à juger, et à refaire.

Relisant ou revoyant ces deux pièces, il faut nous rappeler le moment de leur création. Elles dénoncent l'idéologie vichyste, le recours aux « valeurs » et à la tradition, la peur de l'étranger, l'ordre moral et politique. Elles conservent, à cet égard, une certaine actualité... Mais leur pertinence tient surtout à leur interrogation sur le sens de l'espèce humaine. À la fin de la guerre, le retour de quelques rares rescapés des camps nazis pose la question sur la scène du monde. Ils ramènent avec eux l'annonce du décès de l'homme : non pas la mort de millions d'hommes, mais de l'humain. L'homme n'était-il donc qu'une utopie ? Peut-on encore le faire renaître des cendres ? L'irrémédiable a été commis, par des hommes qui ont installé le règne de l'inhumain, laissant une faille incomblée à jamais. Car le mal touche à la fois les bourreaux, inhumains dans leurs actes, et les victimes, dont la dignité humaine a été systématiquement traquée. Reste-t-il, dans l'humiliation du sous-homme, une parcelle d'humanité qui survit avec la vie ? Ou bien peut-on définitivement faire de l'homme un animal ? Des réponses à ces questions dépend la possibilité d'espérer encore en l'humain.

La barbarie rationnelle des nazis et de leurs complices oblige à repenser les fondations d'une éthique. Sartre a déjà entamé le débat, conservant l'espoir d'une issue avec *Les mouches*, rabattant la question avec *Huis clos* : Oreste peut trouver le chemin de l'humanité responsable. La plongée dans l'immonde, le retour à la matrice et sa refonte ont débouché sur un avenir, incertain mais ouvert. Cependant, Oreste se fait homme en solitaire, et *Huis clos* témoigne de ce que la régression doit être commune : pour poser les bases d'un lien authentique entre les hommes, pour concevoir une nouvelle fraternité, il faut d'abord se jeter dans l'enfer collectif, assumer le conflit des consciences.

La vraie liberté s'acquiert à ce prix et c'est du fond de l'abîme que s'élèvera l'homme humain. *Huis clos* nous montre que sa libération ne peut venir qu'après une délibération. Sartre maintient ainsi l'impératif de l'homme à inventer : son avènement constitue l'horizon du théâtre et de la vie. À une époque où l'humanité a disparu, ces deux pièces imaginent les moyens de sa résurrection. Car la véritable naissance de l'homme commence après l'acte de naissance ; elle est perpétuelle renaissance.

DOSSIER

I. REPÈRES CHRONOLOGIQUES

1905   Naissance de Jean-Paul Sartre à Paris, fils de Jean-Baptiste Sartre, officier de marine, et d'Anne-Marie Schweitzer.

1906   Mort du père de Sartre.

1906-1915   Élevé par sa mère et ses grands-parents.

1916-1920   Remariage de sa mère avec M. Mancy, ingénieur de la marine. Départ à La Rochelle. Découverte de la violence collective avec ses camarades de lycée.

1920-1929   Études à Paris. Amitié avec Paul Nizan. Élève de l'École normale supérieure. Travail philosophique sur l'imagination. Ébauches de romans. Rencontre de Simone de Beauvoir qui sera la compagne de sa vie. Premier à l'agrégation de philosophie.

1929-1931   Service militaire dans la météorologie.

1931-1944   Professeur en lycée, au Havre, à Laon et à Paris.

1933   Boursier à l'Institut français de Berlin, où il succède à Raymond Aron, et où il étudie Husserl et la phénoménologie.

1936   Publication de *L'imagination*.

1937   Voyage en Grèce.

1938   Publication de *La nausée*.

1939   Publication du *Mur*. Mobilisation le 2 septembre, départ en Alsace.

1940   Publication de *L'imaginaire*. Sartre est fait prisonnier le 21 juin, puis transféré au Stalag XII D à Trèves. Il y écrit et y met en scène *Bariona, ou le Fils du tonnerre*, jouant lui-même le rôle d'un Roi mage.

1941   Libéré à la fin mars. Il retrouve son poste à Paris au lycée Pasteur, puis enseigne en khâgne au lycée Condorcet jusqu'en 1944. Il fonde un groupe de résistance intellectuelle, « Socialisme et liberté », avec notamment Jean Pouillon et Maurice Merleau-Ponty. Il termine l'écriture de *L'âge de raison* et commence à écrire *Les mouches* en octobre.

1942   Intense activité d'écriture.

1943   Publication des *Mouches* en avril, et création le 2 juin, suivie de 25 représentations au théâtre de la Cité. Publication de *L'Être et le Néant*. Sartre rejoint le Comité national des écrivains et coopère avec *Les Lettres françaises* clandestines. Écriture de scénarios et de la suite des *Chemins de la liberté*. Rédige *Huis clos* et propose à Camus la mise en scène et le rôle de Garcin.

1944   Création de *Huis clos* le 27 mai au Vieux-Colombier, repris après la Libération, en septembre. Reportages dans *Combat*.

1945   Publication de *Huis clos*, de *L'âge de raison*, et du *Sursis*. Reportages aux États-Unis. Rencontre avec Roosevelt. Parution du premier numéro des *Temps modernes*. Vogue de l'« existentialisme ».

1946   Publication de pièces de théâtre avec *Morts sans sépulture* et *La putain respectueuse*, et d'un essai, *Réflexions sur la question juive*.

1947   Publication de *Situations I* et de *Baudelaire*. Tribune des *Temps modernes* à la radio.

1948   Théâtre : *Les mains sales*. Publication de *Situations II*. Conférence à Berlin sur *Les mouches*. Participe à la fondation d'un mouvement politique, le Rassemblement démocratique révolutionnaire, à la recherche d'une troisième voie. L'œuvre de

Sartre est mise à l'index par le Saint-Office. Les violentes attaques des communistes contre les activités de Sartre se multiplient.

1949 Théâtre : *La mort dans l'âme*. Publication de *Situations III* et des *Entretiens sur la politique*. Démission de Sartre du RDR.

1950 Dénonciation des camps en URSS.

1951 Théâtre : *Le Diable et le Bon Dieu*.

1952 Étude sur Genet, *Saint Genet, comédien et martyr*. Compagnonnage critique avec le PCF. Brouille avec Camus.

1953 Théâtre : *Kean*.

1954 Voyage en URSS. Jacqueline Audry réalise le film *Huis clos*.

1955 Théâtre : *Nekrassov*.

1956 Meeting contre la guerre d'Algérie. Rencontre avec Arlette Elkaïm qui deviendra sa fille adoptive. Rupture avec les communistes après l'intervention soviétique en Hongrie.

1957 Dénonciation de la torture en Algérie.

1958 Opposition au gaullisme.

1959 Théâtre : *Les séquestrés d'Altona*.

1960 Publication d'une somme philosophique : *Critique de la raison dialectique*. Rencontre avec Fidel Castro et Che Guevara à Cuba. Conférence sur le théâtre à la Sorbonne, le 29 mars. Rencontre Tito et assiste à une représentation de *Huis clos* en Yougoslavie. Milite en faveur de l'indépendance de l'Algérie, signe le manifeste des 121 et soutient Francis Jeanson. Manifestation des anciens combattants qui veulent fusiller Sartre.

1961	L'appartement de Sartre, rue Bonaparte, est plastiqué. Manifeste contre l'OAS.
1962	Deuxième attentat contre Sartre. Rencontre Khrouchtchev. *No exit*, film argentin de Pedro Escudero et Tad Danielewski d'après *Huis clos*.
1963	Publication de l'autobiographie *Les mots*. Étude sur la pensée politique de Lumumba.
1964	Publication de *Situations IV, V,* et *VI*. Refuse le prix Nobel. Enregistre une introduction à la version phonographique de *Huis clos*.
1965	Théâtre : *Les Troyennes*, adaptation de la pièce d'Euripide. Publication de *Situations VII*. *Huis clos* est présenté à la télévision dans une mise en scène de Michel Mitrani.
1966	Participe au tribunal Russel sur les crimes américains au Vietnam.
1967	Conférences en Égypte et en Israël.
1968	Soutien au mouvement étudiant. Entretien avec Dany Cohn-Bendit. Condamnation de l'intervention soviétique en Tchécoslovaquie. Assiste à une représentation des *Mouches* à Prague.
1969	Mort de la mère de Sartre.
1970	Soutien aux « maos » de la « Gauche prolétarienne ». Sartre accepte la direction du journal interdit *La Cause du peuple*. Harangue les ouvriers à la sortie des usines de Renault-Billancourt. Soutient Alain Geismar.
1971	Publication des deux premiers tomes de *L'idiot de la famille*, une étude anthropologique sur Flaubert et le Second Empire. Actions contre les conditions de détention dans les prisons françaises, avec

notamment Michel Foucault et Pierre Vidal-Naquet.

1972 Publication de *Situations VIII* et *IX*, et du troisième tome de *L'idiot de la famille*.

1973 Création et direction du journal *Libération*. Sartre est atteint d'une progressive cécité.

1974 Publication d'*On a raison de se révolter*, entretiens avec P. Gavi et P. Victor. Rencontre avec Andreas Baader dans la prison de Stammheim.

1975 Voyage au Portugal et soutien à la révolution des Œillets.

1976 Publication de *Situations X*. Sortie du film *Sartre*, réalisé par Alexandre Astruc et Michel Contat.

1977 Projet d'un livre à deux voix, avec Benny Lévy.

1978 Voyage en Israël, Sartre tente d'œuvrer au règlement du conflit israélo-arabe. Rencontre avec des Palestiniens des territoires occupés.

1979 Participe à une délégation d'intellectuels pour une aide aux « boat people », retrouvant son ancien camarade Raymond Aron. Assiste à l'enterrement de Pierre Goldmann.

1980 Sartre meurt le 15 avril. Son enterrement au cimetière du Montparnasse est suivi par un cortège de 50 000 personnes.

II. HISTORIQUES

1. LA PETITE HISTOIRE

LÉGENDAIRE ARGOS

Pendant l'été 1937, Sartre visite la Grèce et il écrit de nombreuses lettres à une amie, Wanda Kosakiewicz. Arrivant à Argos, il rappelle l'*Orestie*, et il essaie de recomposer la légende, mais en vain : il lui faudra réinventer l'histoire pour atteindre au mythe.

Sur la colline s'élevait la ville — c'était la ville d'Agamemnon et de Clytemnestre, qui tua Agamemnon ; d'Électre qui poussa son frère Oreste à tuer sa mère Clytemnestre et, avant eux, de leur ancêtre Atrée qui fit manger à son frère Thyeste un gigot de ses propres enfants. Une ville de drames noirs, comme vous voyez. Il en reste d'abord un mur d'enceinte fait de formidables roches jaunes qui entoure la colline à mi-côte. En nous avançant vers ce mur nous nous rappelions, d'après une tragédie grecque, le retour d'Agamemnon, après la chute de Troie. Nous nous rappelions les vieillards qui veillaient chaque nuit pendant l'absence du roi pour voir s'allumer dans les montagnes d'Argos le feu qui annoncerait son retour. Nous nous retournions vers ces montagnes bleues toutes proches de la mer et d'où les guetteurs pouvaient facilement découvrir le navire du roi sur la mer. Puis nous imaginions comment le roi, le lendemain, s'en revenait à cheval à travers la plaine vers son rocher sinistre, comment il passait à travers ces grands tombeaux et comment la reine, déjà décidée à le tuer, le voyait s'avancer,

« Lettres à Wanda », *Les Temps modernes*, « Témoins de Sartre », nos 531-533, 1990, p. 1419-1420.

du haut du mur d'enceinte. Et puis, tout d'un coup, nous nous sommes arrêtés net parce que nous nous sommes brusquement avisés que ce jeu était profondément salaud ; ni Atrée, ni Clytemnestre, ni Agamemnon n'ont jamais existé. Qu'est-ce que ça peut vouloir dire, de chercher à les faire revivre sous prétexte qu'on se trouve dans les lieux où la légende les a fait naître ? Nous étions un peu décontenancés parce que, malgré tout, le mamelon jaune gardait un aspect légendaire. C'est assez difficile de dire ce que j'entends par *aspect légendaire*, mais il est certain qu'il y a des endroits comme Delphes sur lesquels on aimerait savoir des choses et d'autres comme celui-là sur lesquels on aimerait raconter des histoires. Tout de même nous n'en avons rien fait. Je sais bien que finalement touteses légendes de Clytemnestre et d'Atrée ce ne sont que des histoires inventées par les gens d'autrefois, touchant cette ville qui était alors déjà bien morte, et elles ne font que refléter l'effet qu'elle leur faisait. Mais alors il aurait fallu que nous inventions d'autres histoires, au lieu d'essayer de prendre au sérieux celles-là. J'ai même un peu essayé. C'était une histoire moderne qui tournait tout entière sur la découverte dans un de ces tombeaux d'un cadavre récent avec un masque d'or. Mais ça n'a pas bien marché et j'ai dû me contenter de rester tout légendaire en dedans mais un légendaire sans paroles, sans légende.

LA GÉNÉRALE DES *MOUCHES*

Simone de Beauvoir relate, dans ses Mémoires, la création de la pièce, et affirme son esprit résistant. Le message politique, selon elle, a été compris aussi bien par les résistants que par la critique collaboratrice.

La figuration était considérable : des femmes, des enfants, de vieilles gens, tout un peuple qu'il fallait faire évoluer sur la vaste scène du théâtre Sarah-Bernhardt ; Dullin s'y trouvait moins à l'aise que sur le plateau de l'Atelier. L'acteur qui jouait Oreste manquait d'expérience ; Olga aussi ; le rôle d'Électre était écrasant ; elle l'indiquait avec justesse mais ni elle ni son partenaire ne passaient la rampe. Dullin prenait de violentes colères : « C'est de la petite comédie ! » disait-il d'une voix cinglante. Olga pleurait de rage, il s'adoucissait, puis de nouveau il explosait et elle se rebiffait : tous deux s'engageaient cœur et âme dans des disputes qui tenaient à la fois de la scène de famille et de la querelle amoureuse. Les petites camarades de l'école assistaient à ces corridas avec l'espoir qu'Olga se casserait les reins. Elles furent déçues. Les dons d'Olga, le travail de Dullin, leur commun acharnement triomphèrent : aux dernières répétitions, elle joua comme une actrice consommée ; seule sur le plateau, sa présence l'emplissait.

La générale eut lieu un après-midi : le soir, elle eût risqué d'être hachée par des coupures d'électricité. Comme Sartre se trouvait dans le hall, près du contrôle, un homme jeune et brun se présenta : Albert Camus. Que j'étais émue lorsque le rideau se leva. Impossible de se méprendre sur le sens de la pièce ; tombant de la bouche d'Oreste, le mot Liberté explosait avec un éclat fulgurant. Le critique allemand de la *Pariser Zeitung* ne s'y méprit pas, et le dit, tout en se donnant les gants de faire un compte rendu favorable. Dans *Les Lettres françaises* clandestines, Michel Leiris loua *Les mouches* et en souligna la signification politique. La plupart des critiques feignirent de n'avoir saisi aucune allusion ; ils tombèrent à bras raccourcis sur la pièce, mais en alléguant des prétextes purement littéraires : elle s'inspirait sans bonheur du théâtre de Giraudoux, elle était verbeuse,

Simone de Beauvoir, *La force de l'âge*, Paris, Gallimard, 1960, p. 616-617.

alambiquée, ennuyeuse. Ils reconnurent le talent
d'Olga : ce fut pour elle un éclatant succès. En
revanche, ils attaquèrent la mise en scène, les
décors, les costumes. Le public n'afflua pas. On
était déjà en juin et le théâtre devait fermer. Dullin
reprit *Les mouches* en octobre en alternance avec
d'autres spectacles.

2. L'ENGAGEMENT DANS L'HISTOIRE

L'HISTOIRE AU-DELÀ DES PYRÉNÉES

**Dans *L'âge de raison*, premier tome de la suite
romanesque *Les chemins de la liberté*, Sartre
montre l'errance d'un professeur de philosophie
qui tient obstinément à sa liberté. Mathieu Delarue
refuse tous les engagements, le mariage, la paternité, le militantisme, la lutte aux côtés des républicains espagnols, dont il découvre les combats par
la presse. Comme dans *Les mouches*, Sartre
dénonce la liberté d'indifférence, une liberté pour
rien. Comme dans *Huis clos*, il exprime, avec la
référence de « Gomez », la mauvaise conscience
de celui qui ne s'est pas engagé lorsqu'il le fallait.**

[...] il prit un journal au hasard : c'était *Excelsior*.
Mathieu donna ses dix sous et s'en fut. *Excelsior*,
ça n'était pas un journal offensant, c'était du
papier gras, triste et velouté comme du tapioca. Il
n'arrivait pas à vous mettre en colère, il vous ôtait
simplement le goût de vivre pendant qu'on le lisait.
Mathieu lut : « Bombardement aérien de Valence »
et il releva la tête, vaguement irrité : la rue Réau-
mur était en cuivre noirci. Deux heures, le moment
de la journée où la chaleur était le plus sinistre, elle
se tordait et crépitait au milieu de la chaussée
comme une longue étincelle électrique. « Qua-
rante avions tournent pendant une heure au-des-

Jean-Paul Sartre,
L'âge de raison,
Paris, Gallimard,
1945, p. 140-143.

sus du centre de la ville et lâchent cent cinquante bombes. On ignore encore le nombre exact de morts et de blessés. » Il vit du coin de l'œil, sous le titre, un terrible petit texte serré, en italique, qui avait l'air bavard et documenté : « De notre envoyé spécial », on donnait des chiffres. Mathieu tourna la page, il n'avait pas envie d'en savoir plus long. Un discours de M. Flandin à Bar-le-Duc. La France tapie derrière la ligne Maginot... Stokovsky nous déclare : je n'épouserai jamais Greta Garbo. Du nouveau sur l'affaire Weidmann. La visite du roi d'Angleterre : quand Paris attend son Prince Charmant. Tous les Français... Mathieu sursauta et pensa : « Tous les Français sont des salauds. » Gomez le lui avait écrit, une fois, de Madrid. Il referma le journal et se mit à lire, en première page, la dépêche de l'envoyé spécial. On comptait déjà cinquante morts et trois cents blessés, et ça n'était pas fini, il y avait sûrement des cadavres sous les décombres. Pas d'avions, pas de D. C. A. Mathieu se sentait vaguement coupable. Cinquante morts et trois cents blessés, qu'est-ce que ça signifiait au juste ? Un hôpital plein ? Quelque chose comme un grave accident de chemin de fer ? Cinquante morts. Il y avait des milliers d'hommes en France qui n'avaient pas pu lire leur journal, ce matin-là, sans qu'une boule de colère leur montât à la gorge, des milliers d'hommes qui avaient serré les poings en murmurant : « Salauds ! » Mathieu serra les poings, il murmura : « Salauds ! » et se sentit encore plus coupable. Si du moins il avait pu trouver en lui une petite émotion bien vivante et modeste, consciente de ses limites. Mais non : il était vide, il y avait devant lui une grande colère, une colère désespérée, il la voyait, il aurait pu la toucher. Seulement elle était inerte, elle attendait pour vivre, pour éclater, pour souffrir, qu'il lui prêtât son corps. C'était la colère des autres. « Salauds ! » Il serrait les poings, il marchait à grands pas, mais ça ne venait pas, la colère restait dehors. J'y ai été, moi, à Valence, j'y ai vu la Fiesta, en 34, et une grande corrida avec Ortega et El Estudiante. Sa pensée faisait des ronds au-dessus de la ville, cherchant une église, une rue, la façade d'une maison dont il pût dire : « J'ai vu ça, ils l'ont détruit, ça n'existe plus. » Ça y est ! la pensée s'abattit sur une rue sombre, écrasée par d'énormes monuments. J'ai vu ça, il s'y promenait, le matin, il étouffait dans une ombre ardente, le ciel flambait très haut, au-dessus des têtes. Ça y est. *Les bombes sont tombées dans cette rue, sur les gros monuments gris, la rue s'est élargie énormément, elle entre à présent jusqu'au fond des maisons, il n'y a plus d'ombre dans la rue, le ciel en fusion a coulé sur la chaussée et le soleil tape sur les décombres.* Quelque chose s'apprêtait à naître, une timide aurore de colère. Ça y est ! Mais ça se dégonfla, ça se raplatit, il était désert, il marchait à pas comptés avec la décence d'un type qui suit un enterrement, à Paris, pas à Valence, à Paris, hanté par un fantôme de colère. Les vitres flamboyaient, les autos filaient sur la chaussée, il marchait au milieu de petits hommes vêtus d'étoffes claires, de Français, qui ne regardaient pas le ciel, qui n'avaient pas peur du ciel. Et pourtant c'est réel, là-bas, quelque part sous le même soleil, c'est réel, les autos se sont arrêtées, les vitres ont éclaté, des bonnes femmes stupides et muettes sont accroupies avec des airs de poules mortes auprès de vrais cadavres et elles lèvent la tête de temps à autre, elles regardent le ciel, le ciel vénéneux, tous les Français sont des salauds. Mathieu avait chaud, c'était une vraie chaleur. Il passa son mouchoir sur son front, il pensa : « On ne peut pas souffrir pour ce qu'on veut. » Là-bas, il y avait une histoire formidable et tragique qui réclamait qu'on souffrît pour elle... « Je ne peux pas, je ne suis pas dans le coup. Je suis à Paris, au milieu de mes présences à moi, Jacques derrière son bureau qui dit : « Non » et Daniel qui ricane et Marcelle dans la chambre rose et Ivich que j'ai embrassée ce matin. Sa vraie présence, écœurante, à force d'être vraie. Chacun a son monde, le mien c'est un hôpital avec Marcelle enceinte dedans et ce juif qui me demande quatre mille francs. Il y a d'autres mondes. Gomez. Il était dans le coup, il est parti, c'était son lot. Et le type d'hier. Il n'est pas parti, il doit errer dans les rues, comme moi. Seulement s'il ramasse un journal et qu'il lit : « Bombardement de Valence » il n'aura pas besoin de se forcer, il souffrira là-bas, dans la ville en décombres. Pourquoi suis-je dans ce monde dégueulasse de tapages, d'instruments chirurgicaux, de pelotages sournois dans les taxis, dans ce monde sans Espagne ? Pourquoi ne suis-je pas dans le bain, avec Gomez, avec Brunet ? Pourquoi n'ai-je pas eu envie d'aller me battre ? Est-ce que j'aurais pu choisir un autre monde ? Est-ce que je suis encore libre ? Je peux aller où je veux, je ne rencontre pas de résistance mais c'est pis : je suis dans une cage sans barreaux, je suis séparé de l'Espagne par... par rien et cependant, c'est infranchissable. » Il regarda la dernière page d'*Excelsior* : photos de l'envoyé spécial. Des corps allongés sur le trottoir le long d'un mur. Au milieu de la chaussée, une grosse commère, couchée sur le dos, les jupes relevées sur ses cuisses, elle n'avait plus de tête. Mathieu replia le journal et le jeta dans le ruisseau.

LE MAL RADICAL

Dans *Qu'est-ce que la littérature ?*, Sartre rappelle la situation historique de l'écrivain qui, avec la guerre, a dû quitter les sphères idéales de la littérature pour assumer son inéluctable historicité. Il

y évoque aussi la confrontation avec le Mal radical et la nécessité de penser l'humain.

[...] la guerre et l'occupation, en nous précipitant dans un monde en fusion, nous ont fait, par force, redécouvrir l'absolu au sein de la relativité même. Pour nos prédécesseurs, la règle du jeu était de sauver tout le monde, parce que la douleur rachète, parce que nul n'est méchant volontairement, parce qu'on ne peut sonder le cœur de l'homme, parce que la grâce divine est également partagée ; cela signifie que la littérature — à part l'extrême-gauche surréaliste qui brouillait simplement les cartes — tendait à établir une sorte de relativisme moral. Les chrétiens ne croyaient plus à l'Enfer ; le péché, c'était la place vide de Dieu, l'amour charnel c'était l'amour de Dieu fourvoyé. Comme la démocratie tolérait toutes les opinions, même celle qui visait expressément à la détruire, l'humanisme républicain, qu'on enseignait dans les écoles, faisait de la tolérance la première de ses vertus : on tolérait tout, même l'intolérance ; dans les idées les plus sottes, dans les sentiments les plus vils, il fallait reconnaître des vérités cachées. Pour le philosophe du régime, Léon Brunschwicg, qui assimila, unifia, intégra toute sa vie durant et qui forma trois générations, le mal et l'erreur n'étaient que des faux-semblants, fruits de la séparation, de la limitation, de la finitude ; ils s'anéantissaient dès qu'on faisait sauter les barrières qui compartimentaient les systèmes et les collectivités. Les radicaux suivaient en ceci Auguste Comte qu'ils tenaient le progrès pour le développement de l'ordre : donc l'ordre était déjà là, en puissance, comme la casquette du chasseur dans les devinettes illustrées ; il n'était que de le découvrir. Ils y passaient leur temps, c'était leur exercice spirituel ; par là, ils justifiaient tout, à commencer par eux-mêmes. Au moins les mar-

Jean-Paul Sartre, « Qu'est-ce que la littérature ? », in *Situations II*, Paris, Gallimard, 1948, p. 245-249.

xistes reconnaissaient-ils la réalité de l'oppression et de l'impérialisme capitaliste, de la lutte des classes et de la misère : mais la dialectique matérialiste a pour effet, je l'ai montré ailleurs, de faire s'évanouir conjointement le Bien et le Mal, il ne reste que le processus historique, et puis le communisme stalinien n'attribue pas à l'individu tant d'importance que les souffrances et sa mort même ne puissent être rachetées si elles concourent à hâter l'heure de la prise du pouvoir. La notion de Mal, délaissée, était tombée aux mains de quelques manichéistes — antisémites, fascistes, anarchistes de droite — qui s'en servaient pour justifier leur aigreur, leur envie, leur incompréhension de l'histoire. Cela suffisait à la discréditer. Pour le réalisme politique comme pour l'idéalisme philosophique, le Mal, ça n'était pas sérieux.

On nous a enseigné à le prendre au sérieux : ce n'est ni notre faute ni notre mérite si nous avons vécu en un temps où la torture était un fait quotidien. Châteaubriant, Oradour, la rue des Saussaies, Tulle, Dachau, Auschwitz, tout nous démontrait que le Mal n'est pas une apparence, que la connaissance par les causes ne le dissipe pas, qu'il ne s'oppose pas au Bien comme une idée confuse à une idée distincte, qu'il n'est pas l'effet de passions qu'on pourrait guérir, d'une peur qu'on pourrait surmonter, d'un égarement passager qu'on pourrait excuser, d'une ignorance qu'on pourrait éclairer, qu'il ne peut d'aucune façon être tourné, repris, réduit, assimilé à l'humanisme idéaliste, comme cette ombre dont Leibnitz écrit qu'elle est nécessaire à l'éclat du jour. Satan, a dit un jour Maritain, est pur. Pur, c'est-à-dire sans mélange et sans rémission. Nous avons appris à connaître cette horrible, cette irréductible pureté : elle éclatait dans le rapport étroit et presque sexuel du bourreau avec sa victime. Car la torture est d'abord une entreprise d'avilissement : quelles que soient les souffrances endurées, c'est la victime qui décide en dernier recours du moment où elles sont insupportables et où il faut parler ; la suprême ironie des supplices, c'est que le patient, s'il mange le morceau, applique sa volonté d'homme à nier qu'il soit homme, se fait complice de ses bourreaux et se précipite de son propre mouvement dans l'abjection. Le bourreau le sait, il guette cette défaillance, non pas seulement parce qu'il en obtiendra le renseignement qu'il désire, mais parce qu'elle lui prouvera, une fois de plus, qu'il a raison d'employer la torture et que l'homme est une bête qu'il faut mener à la cravache ; ainsi tente-t-il d'anéantir l'humanité en son prochain. En lui-même aussi, par contrecoup : cette créature gémissante, suante et souillée, qui demande grâce et s'abandonne avec un consentement pâmé, avec des râles de femme amoureuse, et livre tout et renchérit avec un zèle emporté sur ses trahisons, parce que la conscience qu'elle a de mal faire est comme une pierre à son cou qui l'entraîne toujours plus bas, il sait qu'elle est à son image et qu'il s'acharne sur lui-même autant que sur elle ; s'il veut échapper, pour son compte, à cette dégradation totale, il n'a pas d'autre recours que d'affirmer sa foi aveugle en un ordre de fer qui contienne comme un corset nos immondes faiblesses, bref de remettre le destin de l'homme entre les mains de puissances inhumaines. Vient un instant où tortureur et torturé sont d'accord : celui-là parce qu'il a, en une seule victime, assouvi symboliquement sa haine de l'humanité entière, celui-ci parce qu'il ne peut supporter sa faute qu'en la poussant à l'extrême et qu'il ne peut endurer la haine qu'il se porte qu'en haïssant tous les autres hommes avec lui. Plus tard le bourreau sera pendu, peut-être ; si elle en réchappe, peut-être que la victime se réhabilitera :

mais qui effacera cette Messe où deux libertés ont communié dans la destruction de l'humain ? Nous savions qu'on la célébrait un peu partout dans Paris pendant que nous mangions, que nous dormions, que nous faisions l'amour ; nous avons entendu crier des rues entières et nous avons compris que le Mal, fruit d'une volonté libre et souveraine, est absolu comme le Bien. Un jour viendra peut-être où une époque heureuse, se penchant sur le passé, verra dans ces souffrances et dans ces hontes un des chemins qui conduisirent à sa Paix. Mais nous n'étions pas du côté de l'histoire faite ; nous étions, je l'ai dit, *situés* de telle sorte que chaque minute vécue nous apparaissait comme irréductible. Nous en vînmes donc, en dépit de nous-mêmes, à cette conclusion, qui paraîtra choquante aux belles âmes : le Mal ne peut pas se racheter.

Mais d'autre part, battus, brûlés, aveuglés, rompus, la plupart des résistants n'ont pas parlé ; ils ont brisé le cercle du Mal et réaffirmé l'humain, pour eux, pour nous, pour leurs tortionnaires mêmes. Ils l'ont fait sans témoins, sans secours, sans espoir, souvent même sans foi. Il ne s'agissait pas pour eux de croire en l'homme mais de le vouloir. Tout conspirait à les décourager : tant de signes autour d'eux, ces visages penchés sur eux, cette douleur en eux, tout concourait à leur faire croire qu'ils n'étaient que des insectes, que l'homme est le rêve impossible des cafards et des cloportes et qu'ils se réveilleraient vermine comme tout le monde. Cet homme, il fallait l'inventer avec leur chair martyrisée, avec leurs pensées traquées qui les trahissaient déjà, à partir de rien, pour rien, dans l'absolue gratuité : car c'est à l'intérieur de l'humain qu'on peut distinguer des moyens et des fins, des valeurs, des préférables, mais ils en étaient encore à la création du monde et ils avaient seulement à décider souverainement s'il y aurait dedans quelque chose de plus que le règne animal. Ils se taisaient et l'homme naissait de leur silence. Nous le savions, nous savions qu'à chaque instant du jour, aux quatre coins de Paris, l'homme était cent fois détruit et réaffirmé. Obsédés par ces supplices, il ne se passait pas de semaine que nous ne nous demandions : « Si l'on me torturait, que ferais-je ? » Et cette seule question nous portait nécessairement aux frontières de nous-mêmes et de l'humain, nous faisait osciller entre le *no man's land* où l'humanité se renie et le désert stérile d'où elle surgit et se crée.

3. L'OCCUPATION

VICHY ET LE MÉACULPISME

Démystifiant l'image d'une France résistant à l'occupant nazi, l'historien Robert O. Paxton a mené une recherche novatrice et exemplaire sur le régime de Vichy. Étudiant notamment l'idéologie propre à la Révolution nationale, il montre la culpabilisation orchestrée par le gouvernement de la collaboration.

Un vieux monde est mort et le nouveau laisse déjà entrevoir son visage. Jamais il n'y eut autant de Français prêts à accepter la discipline et l'autorité. Le dur martèlement des bottes explique en partie l'attrait que les ligues fascistes ont exercé sur la jeunesse des années 30, qui manifestait déjà sa rébellion contre la IIIe République par le culte du muscle. « Grâce à nous, la France du camping, du sport, de la danse, des voyages, du tourisme collectif à pied, balaiera la France des apéritifs, des tabagies, des congrès et des longues digestions. » Des apôtres de la virilité, comme Montherlant, prônent le retour aux valeurs spartiates.

Robert O. Paxton, *La France de Vichy, 1940-1944,* © Éditions du Seuil, 1973, p. 43-44.

« C'est avant tout une cure de pureté qu'il nous faut », écrit Jacques Benoist-Méchin.

Le thème de la discipline s'infiltre même chez l'élite républicaine. Édouard Herriot, président de la Chambre des députés, âme de la politique d'accommodement de la IIIe République, presse l'Assemblée nationale, le 9 juillet, d'accepter une « dure discipline ». Gide trouve le discours prononcé par Pétain le 20 juin « tout simplement admirable ». Le maréchal y disait que « l'esprit de jouissance l'a emporté sur l'esprit de sacrifice. On a revendiqué plus qu'on n'a servi ». Pour Gide, il faut mettre un frein à l'excès de liberté : « Je m'accommoderais assez volontiers des contraintes, me semble-t-il, et j'accepterais une dictature qui, seule je le crains, nous sauverait de la décomposition. Ajoutons en hâte que je ne parle ici que d'une *dictature française*. »

La souffrance devait consumer les scories de la France de l'entre-deux-guerres, purifier et renforcer la fibre nationale. Les Français savent évidemment en juin 1940 qu'ils auront à souffrir, que cela leur plaise ou non, mais trouver du mérite à la douleur les aide à accepter l'armistice. Les porte-parole du régime se plaisent à proclamer que « la souffrance purifie ». Camus les tourne en dérision dans le sermon que le père Paneloux prononce à la fin du premier mois de la peste :

« Si, aujourd'hui, la peste vous regarde, c'est que le moment de réfléchir est venu... Dans l'immense grange de l'univers, le fléau implacable battra le blé humain jusqu'à ce que la paille soit séparée du grain. »

Des hommes beaucoup plus éloignés des milieux vichyssois parlent eux aussi de la rédemption par la souffrance. La guerre aura été salutaire, pense Gide, à ceux qui en ont directement souffert et qui ont appris :

« Oui, bien avant la guerre, la France puait la

défaite à plein nez. Elle se défaisait déjà d'elle-même, au point que ce qui pouvait la sauver peut-être c'était, c'est peut-être ce désastre même où retremper ses énergies. Est-il chimérique d'espérer qu'elle sortira de ce cauchemar affermie ? »

Cette envie d'une main qui châtie conduisait directement à l'image du père. Que la dévotion jaillisse de ce peuple sceptique, voilà qui aurait été difficile à imaginer dans des circonstances moins dramatiques. En 1940, n'importe quel chef victorieux de la Première Guerre mondiale aurait été un baume sur l'orgueil blessé. Pétain ne pouvait tomber à un meilleur moment. C'était un véritable héros national, sans lien visible avec la triste politique des années 30. Trop âgé pour n'avoir pas désarmé les animosités provoquées par sa carrière militaire, trop taciturne pour s'en être attiré de nouvelles. On voyait dans la part qu'il avait prise à la politique depuis sa retraite — ministre de la Guerre du gouvernement Doumergue après les émeutes de février 1934 et premier ambassadeur auprès de Franco en 1939 — le sens du devoir d'un vieux soldat se mettant au service de son pays dans des circonstances critiques. Pour le reste, il parlait peu en public des problèmes nationaux, n'allant pas au-delà du dédain traditionnel de l'officier pour la politique. C'était une page vierge, prête à recevoir l'image que chaque Français se faisait du sauveur.

LA FRANCE DE LA HONTE

Sartre évoque aussi la culpabilisation vichyste et les ambiguïtés de la vie sous l'Occupation.

Dans le moment même où nous allions nous abandonner au remords, les gens de Vichy et les collaborateurs, en tentant de nous y pousser, nous retenaient. L'occupation, ce n'était pas seu-

Jean-Paul Sartre, « Paris sous l'Occupation… », in *Situations III*, Paris, Gallimard, 1949, p. 35-36.

lement cette présence constante des vainqueurs dans nos villes : c'était aussi sur tous les murs, dans les journaux, cette immonde image qu'ils voulaient nous donner de nous-mêmes. Les collaborateurs commençaient par en appeler à notre bonne foi. « Nous sommes vaincus, disaient-ils, montrons-nous beaux joueurs : reconnaissons nos fautes. » Et, tout aussitôt après : « Convenons que le Français est léger, étourdi, vantard, égoïste, qu'il ne comprend rien aux nations étrangères, que la guerre a surpris notre pays en pleine décomposition. » Des affiches humoristiques ridiculisaient nos derniers espoirs. Devant tant de bassesse et de ruses si grossières, nous nous raidissions, nous avions envie d'être fiers de nous-mêmes. Hélas, à peine relevions-nous la tête que nous retrouvions en nous nos vrais motifs de remords. Ainsi vivions-nous, dans le pire désarroi, malheureux sans oser nous le dire, honteux et dégoûtés de la honte. Pour comble de malheur, nous ne pouvions faire un pas, ni manger, ni respirer même, sans nous rendre complices de l'occupant. Les pacifistes avant la guerre nous avaient plus d'une fois expliqué qu'un pays envahi doit refuser de se battre et faire de la résistance passive. C'est facile à dire : mais pour que cette résistance fût efficace, il eût fallu que le cheminot refusât de conduire son train, que le paysan refusât de labourer son champ : le vainqueur eût été peut-être gêné, bien qu'il pût se ravitailler sur son sol — mais la nation occupée se fût assurée de périr tout entière dans le plus bref délai. Il fallut donc travailler, maintenir à la nation un semblant d'organisation économique, lui garantir, malgré les destructions et les pillages, un minimum vital. Seulement la moindre activité servait l'ennemi qui s'était abattu sur nous, collait ses ventouses à notre peau et vivait en symbiose avec nous. Il ne se formait pas dans nos veines une goutte de sang dont il ne prît sa part. On a beaucoup parlé de « collaborateurs » et certes, il y eut, parmi nous, des traîtres authentiques : nous n'avons pas honte d'eux ; chaque nation a sa lie, cette frange de ratés et d'aigris qui profitent un moment des désastres et des révolutions ; l'existence de Quisling ou de Laval dans un groupement national est un phénomène *normal*, comme le taux du suicide ou de la criminalité. Mais ce qui nous semblait anormal, c'était la situation du pays, tout entier collaborateur. Les maquisards, notre fierté, ne travaillaient pas pour l'ennemi ; mais il fallait bien que les paysans, s'ils voulaient les nourrir, continuassent à élever du bétail dont la moitié partait en Allemagne. Chacun de nos actes était ambigu : nous ne savions jamais si nous devions tout à fait nous blâmer ou tout à fait nous approuver ; un venin subtil empoisonnait les meilleures entreprises. Je n'en donnerai qu'un exemple : les cheminots, chauffeurs et mécaniciens, ont été admirables. Leur sang-froid, leur courage et souvent leur abnégation ont sauvé des vies par centaines, ont permis à des convois de vivres d'atteindre Paris. Ils étaient résistants pour la plupart et l'ont prouvé. Pourtant le zèle qu'ils mettaient à défendre notre matériel servait la cause allemande : ces locomotives miraculeusement préservées pouvaient être du jour au lendemain réquisitionnées ; parmi les vies humaines qu'ils avaient conservées, il fallait compter celles des militaires qui rejoignaient Le Havre ou Cherbourg ; les trains de vivres transportaient aussi du matériel de guerre. Ainsi ces hommes, uniquement soucieux de servir leurs compatriotes, étaient, par la force des choses, du côté de nos ennemis contre nos amis ; et lorsque Pétain leur accrochait une médaille sur la poitrine, c'était l'Allemagne qui les décorait. D'un bout à l'autre de la guerre, nous n'avons pas *reconnu* nos actes, nous n'avons pas pu revendiquer leurs conséquences. Le mal était partout, tout choix était mauvais et pourtant il fallait choisir et nous étions responsables ; chaque battement de notre cœur nous enfonçait dans une culpabilité dont nous avions horreur.

LA LIBERTÉ ET L'OCCUPATION

Dans ce texte à la formule provocatrice, Sartre définit la liberté par le choix et affirme sa force au moment même où elle est le plus menacée. Comme dans la situation tragique, la liberté s'exprime d'autant plus radicalement qu'elle se limite à une alternative, et qu'elle engage l'homme dans sa totalité.

Jamais nous n'avons été plus libres que sous l'occupation allemande. Nous avions perdu tous nos droits et d'abord celui de parler ; on nous insultait en face chaque jour et il fallait nous taire ; on nous déportait en masse, comme travailleurs, comme Juifs, comme prisonniers politiques ; partout sur les murs, dans les journaux, sur l'écran, nous retrouvions cet immonde et fade visage que nos oppresseurs voulaient nous donner de nous-mêmes : à cause de tout cela nous étions libres. Puisque le venin nazi se glissait jusque dans notre pensée, chaque pensée juste était une conquête ; puisqu'une police toute-puissante cherchait à nous contraindre au silence, chaque parole devenait précieuse comme une déclaration de principe ; puisque nous étions traqués, chacun de nos gestes avait le poids d'un engagement. Les circonstances souvent atroces de notre combat nous mettaient enfin à même de vivre, sans fard et sans voile, cette situation déchirée, insoutenable qu'on appelle la condition humaine. L'exil, la captivité, la mort surtout que l'on masque habilement dans les époques heureuses, nous en faisions les

Jean-Paul Sartre, « La République du silence », in *Situations III*, Paris, Gallimard, 1949, p. 11-14.

objets perpétuels de nos soucis, nous apprenions que ce ne sont pas des accidents évitables, ni même des menaces constantes mais extérieures : il fallait y voir notre *lot*, notre destin, la source profonde de notre réalité d'homme ; à chaque seconde nous vivions dans sa plénitude le sens de cette petite phrase banale : « Tous les hommes sont mortels. » Et le choix que chacun faisait de lui-même était authentique puisqu'il se faisait en présence de la mort, puisqu'il aurait toujours pu s'exprimer sous la forme « Plutôt la mort que... ». Et je ne parle pas ici de cette élite que furent les vrais Résistants, mais de tous les Français qui, à toute heure du jour et de la nuit, pendant quatre ans, ont dit *non*. La cruauté même de l'ennemi nous poussait jusqu'aux extrémités de notre condition en nous contraignant à nous poser ces questions qu'on élude dans la paix : tous ceux d'entre nous — et quel Français ne fut une fois ou l'autre dans ce cas ? — qui connaissaient quelques détails intéressant la Résistance se demandaient avec angoisse : « Si on me torture, tiendrai-je le coup ? » Ainsi la question même de la liberté était posée et nous étions au bord de la connaissance la plus profonde que l'homme peut avoir de lui-même. Car le secret d'un homme, ce n'est pas son complexe d'Œdipe ou d'infériorité, c'est la limite même de sa liberté, c'est son pouvoir de résistance aux supplices et à la mort. À ceux qui eurent une activité clandestine, les circonstances de leur lutte apportaient une expérience nouvelle : ils ne combattaient pas au grand jour, comme des soldats ; traqués dans la solitude, arrêtés dans la solitude, c'est dans le délaissement, dans le dénuement le plus complet qu'ils résistaient aux tortures : seuls et nus devant des bourreaux bien rasés, bien nourris, bien vêtus qui se moquaient de leur chair misérable et à qui une conscience satisfaite, une puissance sociale

démesurée donnaient toutes les apparences
d'avoir raison. Pourtant, au plus profond de cette
solitude, c'étaient les autres, tous les autres, tous
les camarades de résistance qu'ils défendaient ;
un seul mot suffisait pour provoquer dix, cent
arrestations. Cette responsabilité totale dans la
solitude totale, n'est-ce pas le dévoilement même
de notre liberté ? Ce délaissement, cette solitude,
ce risque énorme étaient les mêmes pour tous,
pour les chefs et pour les hommes ; pour ceux qui
portaient des messages dont ils ignoraient le
contenu comme pour ceux qui décidaient de
toute la résistance, une sanction unique : l'emprisonnement, la déportation, la mort. Il n'est pas
d'armée au monde où l'on trouve pareille égalité
de risques pour le soldat et le généralissime. Et
c'est pourquoi la Résistance fut une démocratie
véritable : pour le soldat comme pour le chef,
même danger, même responsabilité, même absolue liberté dans la discipline. Ainsi, dans l'ombre et
dans le sang, la plus forte des Républiques s'est
constituée. Chacun de ses citoyens savait qu'il se
devait à tous et qu'il ne pouvait compter que sur
lui-même ; chacun d'eux réalisait, dans le délaissement le plus total, son rôle historique. Chacun
d'eux, contre les oppresseurs, entreprenait d'être
lui-même, irrémédiablement et en se choisissant
lui-même dans sa liberté, choisissait la liberté de
tous. Cette république sans institutions, sans
armée, sans police, il fallait que chaque Français la
conquière et l'affirme à chaque instant contre le
nazisme. Nous voici à présent au bord d'une autre
république : ne peut-on souhaiter qu'elle conserve
au grand jour les austères vertus de la République
du Silence et de la Nuit.

III. TRAGIQUES

1. LE MATRICIDE

Le meurtre de Clytemnestre par Oreste apparaît dans trois versions des tragiques grecs, Eschyle, Sophocle et Euripide, qui constituent la source directe des _Mouches_.

ESCHYLE, _LES CHOÉPHORES_

ORESTE

Toi, je te cherchais. L'autre, il a son compte.

CLYTEMNESTRE

Malheur ! tu as péri, très cher Égisthe le Fort.

ORESTE

Tu l'aimes ? eh bien, tu coucheras dans la même
   tombe.
Que tu ne le trahisses pas une fois mort.

CLYTEMNESTRE

Arrête, ô fils, respecte, enfant,
ce sein sur qui souvent tout somnolent
tu suçais, de tes lèvres, le bon lait.

ORESTE

Pylade, que ferai-je ? puis-je sans honte tuer ma
   mère ?

PYLADE

Et que deviendront les oracles de Loxias
proférés à Pythô, et la fidélité des serments ?
Plutôt être en haine à tous qu'aux dieux.

ORESTE

Soit, tu as raison, ton avis est bon.

Eschyle, « L'Orestie », in _Tragiques grecs_, Paris, Gallimard, « Bibliothèque de la Pléiade », 1967, trad. Jean Grosjean, p. 360-365.

(À Clytemnestre.)

Suis-moi, je veux t'égorger près de l'autre.
Vivant, tu le trouvas meilleur que mon père :
dors dans la mort avec lui, puisque tu l'aimes
et que tu détestes qui tu devais aimer.

CLYTEMNESTRE

Je t'ai nourri, je veux vieillir près de toi.

ORESTE

Tueuse de mon père, tu veux demeurer avec
moi ?

CLYTEMNESTRE

Le destin en fut cause, mon enfant.

ORESTE

Ce destin donc a préparé ta mort.

CLYTEMNESTRE

Crains-tu pas, mon enfant, l'imprécation de ta
mère ?

ORESTE

Une mère qui m'a jeté dans le malheur.

CLYTEMNESTRE

Non, je t'ai envoyé chez un hôte.

ORESTE

Né d'un père libre, je fus deux fois vendu.

CLYTEMNESTRE

Et où est le prix que j'en ai reçu ?

ORESTE

Je rougis d'avoir à te le reprocher en clair.

CLYTEMNESTRE

Non, mais dis aussi les fautes de ton père.

ORESTE

Ne l'accuse point, il peinait et tu restais assise.

CLYTEMNESTRE

Mon enfant, il est dur aux femmes d'être loin de l'homme.

ORESTE

Le travail de l'homme nourrit sa femme à la maison.

CLYTEMNESTRE

Il te plaît de tuer ta mère, ô mon enfant !

ORESTE

Ce n'est pas moi, c'est toi-même qui te tueras.

CLYTEMNESTRE

Attention, prends garde aux chiennes vengeresses de ta mère.

ORESTE

Mais si je cède, comment fuierai-je celles de mon père ?

CLYTEMNESTRE

Quoi, vivante, je supplie un tombeau !

ORESTE

Le sort de mon père t'inflige cette mort.

CLYTEMNESTRE

Malheur ! j'ai enfanté et nourri ce serpent.

ORESTE

Il était prophétique ton songe effrayant.
Tu as tué indûment, pâtis de même.

Ils sortent.

LE CORYPHÉE

Je pleure sur les deux infortunes
mais puisque c'est le pauvre Oreste qui a ajouté
à tant de meurtres, nous y gagnons au moins
que l'œil de la maison ne soit pas perdu.

LE CHŒUR

STROPHE I

Elle est venue enfin la justice pour les Priamides,
la lourde peine de justice.
Il est venu à la demeure d'Agamemnon
le double lion, le double Arès.
Il est allé jusqu'au bout
l'exilé que pressait l'oracle de Pythô,
la sagesse d'un dieu.
Criez la liesse ; oh ! la maison des maîtres
échappe au malheur, au pillage de ses biens,
aux deux impurs,
à sa funeste destinée.

ANTISTROPHE I

Il est venu celui qui devait lutter en secret
et imposer la peine par ruse.
Elle a touché sa main en lutte, la véritable
fille de Zeus et que nous mortels
avec raison nommons
Justice et qui souffle sa colère
de mort sur ses ennemis
Criez la liesse ; oh ! la maison des maîtres
échappe au malheur, au pillage de ses biens,
aux deux impurs,
à sa funeste destinée.

STROPHE II

Le cri que dans le grand antre de la terre
a poussé Loxias Parnassien
attaque par des ruses franches
à la fin la faute.
Ainsi s'impose la loi divine
de ne point servir le crime et de vénérer
dûment l'autorité céleste.
Voici qu'on voit la lumière.
Voici défaite de sa chaîne la demeure.
Debout, maison !
trop longtemps tu gisais par terre.

ANTISTROPHE II

Bientôt l'instant final va franchir
les vantaux de la maison, quand toute souillure
sera ôtée du foyer par les purifications
qui expulsent l'erreur.

Ceux qui ont gémi de voir et d'entendre tout
auront alors un sort riant.
Les étrangères quitteront de nouveau la maison.

Voici qu'on voit la lumière.
Voici défaite de sa chaîne la demeure.
Debout, maison !
trop longtemps tu gisais par terre.

> *La porte s'ouvre sur Oreste et les*
> *deux cadavres.*

SOPHOCLE, *ÉLECTRE*

Le vengeur des morts pénètre
d'un pied rusé sous le toit

de l'opulent foyer paternel ;
il aiguise sa fureur de sang.
C'est Hermès, le fils de Maïa,

qui le mène, qui voile d'ombre sa ruse
et ne veut plus différer.

> *Entre Électre.*

ÉLECTRE

Ô chères femmes, les hommes
vont en avoir fini. Restez silencieuses.

LE CORYPHÉE

Comment cela ? que font-ils ?

ÉLECTRE

Elle apprête l'urne
pour les funérailles et ils se tiennent près d'elle.

Sophocle, *Électre*, in
Tragiques grecs,
Paris, Gallimard,
« Bibliothèque de la
Pléiade », 1967,
trad. Jean Grosjean,
p. 781-783.

169

Mais toi, pourquoi es-tu sortie ?

ÉLECTRE

Pour veiller
à ce qu'Égisthe n'entre pas les surprendre.

VOIX DE CLYTEMNESTRE

Ayaï ! oh ! maison
vide d'amis et pleine de tueurs.

ÉLECTRE

On crie à l'intérieur. Amies, entendez-vous ?

LE CHŒUR

STROPHE

Hélas, j'entends des cris inouïs à en frémir.

VOIX DE CLYTEMNESTRE

Oyoï ! malheur ! Égisthe, où es-tu donc ?

ÉLECTRE

Voici qu'on hurle encore.

VOIX DE CLYTEMNESTRE

Mon fils, mon fils,
aie pitié de ta mère.

ÉLECTRE

Mais de lui
avais-tu pitié, et du père qui l'engendra ?

LE CHŒUR

Ô cité, ô malheureuse race, maintenant
ton sort chaque jour décline, décime.

VOIX DE CLYTEMNESTRE

Oyoï ! on me frappe.

ÉLECTRE

Frappe encore si tu peux.

VOIX DE CLYTEMNESTRE

Oyoï ! un coup encore.

ÉLECTRE

Si c'était sur Égisthe aussi !

LE CHŒUR

Les imprécations s'accomplissent. Ils vivent, les
morts.
Ceux qu'on a tués jadis se payent maintenant
avec le sang de leurs assassins.

Entrent Oreste et Pylade.

LE CORYPHÉE

Ah ! les voici. De leurs mains s'égoutte
le sang offert à Arès, mais je ne les blâme pas.

ÉLECTRE

Oreste, où en êtes-vous ?

ORESTE

Dans la maison tout va bien si Apollon a bien
prophétisé.

ÉLECTRE

La misérable est morte ?

ORESTE

N'aie pas peur, l'arrogance maternelle ne
t'outragera plus.

EURIPIDE, *ÉLECTRE*

CLYTEMNESTRE, *à l'intérieur*

Par les dieux, mes enfants, n'assassinez pas votre
mère !

LE CORYPHÉE

Dans la maison, entends-tu cet appel ?

CLYTEMNESTRE

Malheur, malheur à moi !

Euripide, *Électre*, in
*Tragédies com-
plètes*, Paris, Galli-
mard, 1962, « Biblio-
thèque de la
Pléiade », trad. Marie
Delcourt-Curvers,
p. 914-918.

Oui, je gémis sur elle : ses enfants la saisissent.

LE CHŒUR

Oui, Dieu dispense la justice, à l'heure que veut le
   destin.
Tu paies le prix affreux du crime sacrilège
que tu commis en frappant ton époux.

> *Ils sortent tous de la maison.*
> *L'eccyclème amène les corps*
> *d'Égisthe et de Clytemnestre.*

LE CORYPHÉE

Les voici, teints du sang encore chaud de leur
   mère,
qui viennent, portant pour trophée de victoire,
le nom que leur jeta la malheureuse, et qui les
   marque désormais.
Nulle maison jamais ne fut plus éprouvée
que celle de Tantale et de ses descendants.

STROPHE II

ORESTE

Ô Terre, ô Zeus à qui nulle chose n'échappe
de ce que font les hommes,
voyez l'acte sanglant qui me souille,
ces deux corps couchés côte à côte,
frappés par moi pour venger mes malheurs

ÉLECTRE

Ne pleure pas ainsi, mon frère, la coupable, c'est
   moi !
La malheureuse fille s'est consumée de haine
contre la mère qui la mit au monde.

LE CHŒUR

Tu as enfanté, mère de malheur,
ton propre destin, qui dépasse l'horreur !
Tes enfants ont de toi exigé la vengeance.

ANTISTROPHE II

ORESTE

Obscurs, Phoibos, les conseils que tu m'as
    chantés,
mais éclatants les maux qui en sortirent !...
Dans quelle cité aller à présent ?
Quel homme pieux m'ouvrira sa porte,
regardera le Matricide en face ?

ÉLECTRE

Malheur à moi ! Quels chœurs, quels chants de
    fête
m'accueilleront encore ?
Quel époux dans son lit voudra me recevoir ?

LE CHŒUR

Le vent en tournant a changé ton cœur.
La piété trop tard conduit ta pensée,
car l'acte impie est consommé, amie :
Tu y as entraîné ton frère malgré lui.

STROPHE III

ORESTE

Tu as bien vu l'infortunée
écarter sa robe, me montrer son sein,
au moment où je la tuais,
et traîner, ô horreur, sur la terre,
le giron d'où je suis sorti. Ah, je défaille !

LE CHŒUR

Je comprends, je comprends : c'est toi qui étais
    en travail,
quand tu entendis le cri déchirant
de celle qui t'avait mis au monde.

ANTISTROPHE III

ORESTE

En levant le bras pour toucher mon menton,
elle a jeté cette plainte :
« Ô mon enfant, je te supplie... »

173

Elle s'attachait à ma joue,
si bien que j'ai laissé tomber mon arme...

L'infortunée ! Comment as-tu pu supporter
de voir sous tes yeux ruisseler le sang
de ta mère expirante ?

STROPHE IV

ORESTE

J'ai ramené mon manteau sur mes yeux,
et mon couteau a consacré le sacrifice
en s'enfonçant dans le cou de ma mère.

ÉLECTRE

Et moi je t'excitais,
en tenant l'épée avec toi.

LE CHŒUR

Tu as commis là le plus grand des crimes !

ANTISTROPHE IV

ORESTE

Prends mon manteau, couvres-en notre mère,
et ferme ses blessures.
C'est donc tes meurtriers que tu as mis au
monde !

ÉLECTRE

Ô toi que nous n'avons pas pu aimer,
nous t'enveloppons dans ce vêtement.

LE CHŒUR

Dernier désastre pour cette maison !

2. L'ACTE TRAGIQUE

L'HÉSITATION

Se distinguant de la version héroïque de l'acte tragique, Sartre montre que la décision résulte d'une lente maturation. L'acte du personnage ne va pas de soi, et il ne s'accomplit qu'au prix d'une réflexion et d'un effort. La reprise sartrienne d'Oreste passe par celle de Shakespeare (la dramaturgie des *Mouches* est d'ailleurs plus proche de la tragédie élisabéthaine que de la tragédie classique française). Le héros tragique n'est plus aussi aveugle, ni aussi déterminé : il doute de lui-même et du sens de l'acte, ce qui donne d'autant plus de prix à son choix. À cet égard, les hésitations d'Hamlet sont proches de celles d'Oreste au début des *Mouches*.

HAMLET

Comme tous ces hasards m'accusent ! Éperonnant
Ma trop lente vengeance ! Qu'est un homme
Si tout son bien, si l'emploi de son temps
N'est que manger et dormir ? Une bête, rien plus.
Oh, celui-là qui nous dota de ce vaste esprit
Qui voit si loin dans le passé et l'avenir,
Ne nous a pas donné cette raison divine
Pour qu'inactive elle moisisse en nous ! Pourtant,
Soit par oubli bestial, soit qu'un lâche scrupule
Me fasse trop peser les suites de l'acte
— Et cette hésitation, coupée en quatre,
N'a qu'un quart de sagesse et trois de frayeur —
Je ne sais pas pourquoi j'en suis encore
À me dire : voici ce qu'il faut faire,
Quand tout, motifs et volonté, force et moyens,
Me pousse à l'accomplir... Vastes comme la terre,
Des exemples m'exhortent. Et ainsi cette armée
Si nombreuse et coûteuse, que conduit

Shakespeare, *Hamlet*, Paris, Gallimard, 1978, « Folio », trad. Yves Bonnefoy, p. 157-158.

Un jeune prince raffiné, dont le courage
Gonflé d'une ambition superbe fait la nique
À l'avenir imprévisible, et qui expose
À tout ce qu'oseront hasards, mort et périls
Son être même, pourtant précaire, pourtant
    mortel,
Pour la coquille d'un œuf. La grandeur vraie
N'est pas de s'émouvoir sans un grand motif,
C'est d'en découvrir un dans la moindre querelle
Quand l'honneur est en jeu. Et moi ? Que suis-je ?
Moi dont le père tué, la mère salie
Devraient bouleverser la raison et le sang,
Et qui ne fais que dormir ? Quand à ma honte
Je vois la proche mort de ces vingt mille hommes
Qui pour une gloriole, pour un rien,
Vont au tombeau comme ils iraient au lit,
Et combattent pour quelque arpent où ils seront
En trop grand nombre pour se heurter tous, un
    peu de terre
Où ne tiendrait pas même un sépulcre assez
    grand
Pour loger tous les morts... Oh, désormais,
Que ma pensée se voue au sang, ou qu'elle avoue
    son néant !

LA RÉSOLUTION

**Avec Hamlet, le personnage de Lorenzaccio est
une figure de référence implicite dans le théâtre
de Sartre. La vie de Lorenzo, comme celle
d'Oreste, se résume dans un seul acte, le meurtre
du tyran. Accompli dans la solitude, cette action
individuelle engage cependant le sort de l'humanité.**

LORENZO

Tu me demandes pourquoi je tue Alexandre ?
Veux-tu donc que je m'empoisonne, ou que je
saute dans l'Arno ? Veux-tu donc que je sois un

Alfred de Musset,
Lorenzaccio, acte III,
scène 3.

spectre, et qu'en frappant sur ce squelette... *(Il frappe sa poitrine.)* il n'en sorte aucun son ? Si je suis l'ombre de moi-même, veux-tu donc que je rompe le seul fil qui rattache aujourd'hui mon cœur à quelques fibres de mon cœur d'autrefois ! Songes-tu que ce meurtre, c'est tout ce qui me reste de ma vertu ? Songes-tu que je glisse depuis deux ans sur un rocher taillé à pic, et que ce meurtre est le seul brin d'herbe où j'aie pu cramponner mes ongles ? Crois-tu donc que je n'aie plus d'orgueil, parce que je n'ai plus de honte, et veux-tu que je laisse mourir en silence l'énigme de ma vie ? Oui, cela est certain, si je pouvais revenir à la vertu, si mon apprentissage du vice pouvait s'évanouir, j'épargnerais peut-être ce conducteur de bœufs — mais j'aime le vin, le jeu et les filles, comprends-tu cela ? Si tu honores en moi quelque chose, toi qui me parles, c'est mon meurtre que tu honores, peut-être justement parce que tu ne le ferais pas. Voilà assez longtemps, vois-tu, que les républicains me couvrent de boue et d'infamie ; voilà assez longtemps que les oreilles me tintent, et que l'exécration des hommes empoisonne le pain que je mâche. J'en ai assez de me voir conspué par des lâches sans nom, qui m'accablent d'injures pour se dispenser de m'assommer, comme ils le devraient. J'en ai assez d'entendre brailler en plein vent le bavardage humain ; il faut que le monde sache un peu qui je suis, et qui il est. Dieu merci, c'est peut-être demain que je tue Alexandre ; dans deux jours j'aurai fini. Ceux qui tournent autour de moi avec des yeux louches, comme autour d'une curiosité monstrueuse apportée d'Amérique, pourront satisfaire leur gosier, et vider leur sac à paroles. Que les hommes me comprennent ou non, qu'ils agissent ou n'agissent pas, j'aurai dit tout ce que j'ai à dire ; je leur ferai tailler leurs plumes, si je ne leur fais pas nettoyer leurs piques, et l'Humanité

177

gardera sur sa joue le soufflet de mon épée marqué en traits de sang. Qu'ils m'appellent comme ils voudront, Brutus ou Érostrate, il ne me plaît pas qu'ils m'oublient. Ma vie entière est au bout de ma dague, et que la Providence retourne ou non la tête en m'entendant frapper, je jette la nature humaine à pile ou face sur la tombe d'Alexandre — dans deux jours, les hommes comparaîtront devant le tribunal de ma volonté.

L'ISSUE

Après la mort du tyran, le meurtrier doit rendre compte de son acte devant le peuple. La « sortie » du personnage de Musset renforce l'individualisation et la malédiction, dans un esprit romantique. Sartre reprend, dans *Les mouches*, la structure finale de *Lorenzaccio*, mais en lui conférant une signification exemplaire. Cette homologie implique cependant des effets de sens qui peuvent entrer en contradiction avec l'intention de l'auteur quant au lien entre l'individu et la cité.

LORENZO, *tenant une lettre*

Voilà une lettre qui m'apprend que ma mère est morte. Venez donc faire un tour de promenade, Philippe.

PHILIPPE

Je vous en supplie, mon ami, ne tentez pas la destinée. Vous allez et venez continuellement, comme si cette proclamation de mort n'existait pas.

LORENZO

Au moment où j'allais tuer Clément VII, ma tête a été mise à prix à Rome. Il est naturel qu'elle le soit dans toute l'Italie, aujourd'hui que j'ai tué Alexandre. Si je sortais de l'Italie, je serais bientôt sonné à son de trompe dans toute l'Europe, et à

Alfred de Musset, *Lorenzaccio*, acte V, scène 7.

ma mort, le bon Dieu ne manquera pas de faire placarder ma condamnation éternelle dans tous les carrefours de l'immensité.

PHILIPPE

Votre gaieté est triste comme la nuit ; vous n'êtes pas changé, Lorenzo.

LORENZO

Non, en vérité, je porte les mêmes habits, je marche toujours sur mes jambes, et je bâille avec ma bouche ; il n'y a de changé en moi qu'une misère — c'est que je suis plus creux et plus vide qu'une statue de fer-blanc.

PHILIPPE

Partons ensemble ; redevenez un homme. Vous avez beaucoup fait, mais vous êtes jeune.

LORENZO

Je suis plus vieux que le bisaïeul de Saturne — je vous en prie, venez faire un tour de promenade.

PHILIPPE

Votre esprit se torture dans l'inaction ; c'est là votre malheur. Vous avez des travers, mon ami.

LORENZO

J'en conviens ; que les républicains n'aient rien fait à Florence, c'est là un grand travers de ma part. Qu'une centaine de jeunes étudiants, braves et déterminés, se soient fait massacrer en vain, que Côme, un planteur de choux, ait été élu à l'unanimité — oh ! je l'avoue, je l'avoue, ce sont là des travers impardonnables, et qui me font le plus grand tort.

PHILIPPE

Ne raisonnons point sur un événement qui n'est pas achevé. L'important est de sortir d'Italie ; vous n'avez point encore fini sur la terre.

LORENZO

J'étais une machine à meurtre, mais à un meurtre seulement.

PHILIPPE

N'avez-vous pas été heureux autrement que par ce meurtre ? Quand vous ne devriez faire désormais qu'un honnête homme, pourquoi voudriez-vous mourir ?

LORENZO

Je ne puis que vous répéter mes propres paroles : Philippe, j'ai été honnête. — Peut-être le redeviendrais-je, sans l'ennui qui me prend. — J'aime encore le vin et les femmes ; c'est assez, il est vrai, pour faire de moi un débauché, mais ce n'est pas assez pour me donner envie de l'être. Sortons, je vous en prie.

PHILIPPE

Tu te feras tuer dans toutes ces promenades.

LORENZO

Cela m'amuse de les voir. La récompense est si grosse, qu'elle les rend presque courageux. Hier, un grand gaillard à jambes nues m'a suivi un gros quart d'heure au bord de l'eau, sans pouvoir se déterminer à m'assommer. Le pauvre homme portait une espèce de couteau long comme une broche ; il le regardait d'un air si penaud qu'il me faisait pitié — c'était peut-être un père de famille qui mourait de faim.

PHILIPPE

Ô Lorenzo ! Lorenzo ! ton cœur est très malade. C'était sans doute un honnête homme ; pourquoi attribuer à la lâcheté du peuple le respect pour les malheureux ?

LORENZO

Attribuez cela à ce que vous voudrez. Je vais faire un tour au Rialto. *(Il sort.)*

Il faut que je le fasse suivre par quelqu'un de mes gens. Holà ! Jean ! Pippo ! holà ! *(Entre un domestique.)* Prenez une épée, vous et un autre de vos camarades, et tenez-vous à une distance convenable du seigneur Lorenzo, de manière à pouvoir le secourir si on l'attaque.

JEAN

Oui, monseigneur. *(Entre Pippo.)*

PIPPO

Monseigneur, Lorenzo est mort. Un homme était caché derrière la porte, qui l'a frappé par-derrière, comme il sortait.

PHILIPPE

Courons vite ! Il n'est peut-être que blessé.

PIPPO

Ne voyez-vous pas tout ce monde ? Le peuple s'est jeté sur lui. Dieu de miséricorde ! On le pousse dans la lagune.

PHILIPPE

Quelle horreur ! quelle horreur ! Eh quoi ! pas même un tombeau ? *(Il sort.)*

3. LA REDÉFINITION DU TRAGIQUE

LA TRAGÉDIE DE LA LIBERTÉ

Dans ce texte de 1947, Sartre renverse radicalement la conception traditionnelle de la tragédie, retournant le destin en affirmation de la liberté.

La grande tragédie, celle d'Eschyle et de Sophocle, celle de Corneille, a pour ressort principal la liberté humaine. Œdipe est libre, libres Antigone et Prométhée. La fatalité que l'on croit

Jean-Paul Sartre, « Pour un théâtre de situations », in Michel Contat et Michel Rybalka, *Les écrits de Sartre*, Paris, Gallimard, 1970, p. 683-684.

constater dans les drames antiques n'est que l'envers de la liberté. Les passions elles-mêmes sont des libertés prises à leur propre piège.

Le théâtre psychologique, celui d'Euripide, celui de Voltaire et de Crébillon fils, annonce le déclin des formes tragiques. Un conflit de caractères, quels que soient les retournements qu'on y mette, n'est jamais qu'une composition de forces dont les résultats sont prévisibles : tout est décidé d'avance. L'homme qu'un concours de circonstances conduit sûrement à sa perte n'émeut guère. Il n'y a de grandeur dans sa chute que s'il tombe par sa faute. Si la psychologie gêne, au théâtre, ce n'est point qu'il y ait trop en elle : c'est qu'il n'y a pas assez ; il est dommage que les auteurs modernes aient découvert cette connaissance bâtarde et l'aient appliquée hors de portée. Ils ont manqué la volonté, le serment, la folie d'orgueil qui sont les vertus et les vices de la tragédie.

Dès lors, l'aliment central d'une pièce, ce n'est pas le caractère qu'on exprime avec de savants « mots de théâtre » et qui n'est rien d'autre que l'ensemble de nos serments (serment de se montrer irritable, intransigeant, fidèle, etc.), c'est la situation. Non pas cet imbroglio superficiel que Scribe et Sardou savaient si bien monter et qui n'avait pas de valeur humaine. Mais s'il est vrai que l'homme est libre dans une situation donnée et qu'il se choisit lui-même dans et par cette situation, alors il faut montrer au théâtre des situations simples et humaines et des libertés qui se choisissent dans ces situations. Le caractère vient après, quand le rideau est tombé. Il n'est que le durcissement du choix, sa sclérose ; il est ce que Kierkegaard nomme la *répétition*. Ce que le théâtre peut montrer de plus émouvant est un caractère en train de se faire, le moment du choix, de la libre décision qui engage une morale et toute une vie. La situation est un appel ; elle nous cerne ; elle nous propose des solutions, à nous de décider. Et pour que la décision soit profondément humaine, pour qu'elle mette en jeu la totalité de l'homme, à chaque fois il faut porter sur la scène des situations-limites, c'est-à-dire qui présentent des alternatives dont la mort est l'un des termes. Ainsi, la liberté se découvre à son plus haut degré puisqu'elle accepte de se perdre pour pouvoir s'affirmer. Et comme il n'y a de théâtre que si l'on réalise l'unité de tous les spectateurs, il faut trouver des situations si générales qu'elles soient communes à tous. Plongez des hommes dans ces situations universelles et extrêmes qui ne leur laissent qu'un couple d'issues, faites qu'en choisissant l'issue ils se choisissent eux-mêmes : vous avez gagné, la pièce est bonne. Chaque époque saisit la condition humaine et les énigmes qui sont proposées à sa liberté à travers des situations particulières. Antigone, dans la tragédie de Sophocle, doit choisir entre la morale de la cité et la morale de la famille. Ce dilemme n'a plus guère de sens aujourd'hui. Mais nous avons nos problèmes : celui de la fin et des moyens, de la légitimité de la violence, celui des conséquences de l'action, celui des rapports de la personne avec la collectivité, de l'entreprise individuelle avec les constantes historiques, cent autres encore. Il me semble que la tâche du dramaturge est de choisir parmi ces situations-limites celle qui exprime le mieux ses soucis et de la présenter au public comme la question qui se pose à certaines libertés. C'est seulement ainsi que le théâtre retrouvera la résonance qu'il a perdue, seulement ainsi qu'il pourra *unifier* le public divers qui le fréquente aujourd'hui.

L'AURORE TRAGIQUE

Prédécesseur de Sartre dans l'adaptation moderne des tragédies antiques, Giraudoux a repris *L'Orestie*, avec *Électre*, une pièce créée en 1937. Jouant avec la cruauté des héros tragiques et le bon sens des hommes communs, il met à distance la force du destin pour en montrer la dimension absolue et inhumaine. La pièce s'achève sur l'aurore d'après la destruction ; avec la fin des *Mouches*, Sartre lui opposera l'aube d'une reconstruction.

LA MÉCANIQUE SILENCIEUSE

Anouilh reprend aussi l'héritage tragique dans une adaptation très libre. Avec *Antigone*, une pièce jouée sous l'Occupation en 1944, et dont on a beaucoup discuté le message politique, le destin est décrit de manière ironique comme une mécanique silencieuse.

LE CHŒUR

Et voilà. Maintenant le ressort est bandé. Cela n'a plus qu'à se dérouler tout seul. C'est cela qui est commode dans la tragédie. On donne le petit coup de pouce pour que cela démarre, rien, un regard pendant une seconde à une fille qui passe et lève les bras dans la rue, une envie d'honneur un beau matin, au réveil, comme de quelque chose qui se mange, une question de trop qu'on se pose un soir... C'est tout. Après, on n'a plus qu'à laisser faire. On est tranquille. Cela roule tout seul. C'est minutieux, bien huilé depuis toujours. La mort, la trahison, le désespoir sont là, tout prêts, et les éclats, et les orages, et les silences, tous les silences : le silence quand le bras du bourreau se lève à la fin, le silence au commencement quand les deux amants sont nus l'un en face

Jean Anouilh, *Antigone*, Paris, La Table Ronde, 1946, p. 56-58.

de l'autre pour la première fois, sans oser bouger tout de suite, dans la chambre sombre, le silence quand les cris de la foule éclatent autour du vainqueur — et on dirait un film dont le son s'est enrayé, toutes ces bouches ouvertes dont il ne sort rien, toute cette clameur qui n'est qu'une image, et le vainqueur, déjà vaincu, seul au milieu de son silence...

C'est propre, la tragédie. C'est reposant, c'est sûr... Dans le drame, avec ces traîtres, avec ces méchants acharnés, cette innocence persécutée, ces vengeurs, ces terre-neuve, ces lueurs d'espoir, cela devient épouvantable de mourir, comme un accident. On aurait peut-être pu se sauver, le bon jeune homme aurait peut-être pu arriver à temps avec les gendarmes. Dans la tragédie on est tranquille. D'abord, on est entre soi. On est tous innocents en somme ! Ce n'est pas parce qu'il y en a un qui tue et l'autre qui est tué. C'est une question de distribution. Et puis, surtout, c'est reposant, la tragédie, parce qu'on sait qu'il n'y a plus d'espoir, le sale espoir ; qu'on est pris, qu'on est enfin pris comme un rat, avec tout le ciel sur son dos, et qu'on n'a plus qu'à crier —, pas à gémir, non, pas à se plaindre —, à gueuler à pleine voix ce qu'on avait à dire, qu'on n'avait jamais dit et qu'on ne savait peut-être même pas encore. Et pour rien : pour se le dire à soi, pour l'apprendre, soi. Dans le drame, on se débat parce qu'on espère en sortir. C'est ignoble, c'est utilitaire. Là, c'est gratuit. C'est pour les rois. Et il n'y a plus rien à tenter, enfin !

LA MISE EN SCÈNE DU TRAGIQUE

Sartre rappelle comment Dullin, par sa mise en scène, a imprimé aux *Mouches* sa propre conception du tragique, et combien il a privilégié l'acte par rapport au verbe.

185

En ces années d'occupation, on sortait peu : l'art dramatique vivotait ; Dullin, quel que fût le spectacle monté, avait le plus grand mal à remplir l'immense nef du Sarah-Bernhardt. Représenter la pièce d'un inconnu, c'était risquer de perdre son théâtre. D'autant que la couleur politique des *Mouches* n'était pas pour plaire aux critiques qui collaboraient tous. Dullin n'ignorait rien de tout cela ; j'en étais si conscient que je cherchai et trouvai l'appui d'un commanditaire qui vint le voir et tenta de l'étourdir avec un flot de paroles. Dullin l'écoutait, souriant de coin, silencieux, avec sa vieille méfiance paysanne. De fait, un beau jour, quand il fallut prendre une décision, le commanditaire se jeta dans le lac du Bois de Boulogne. On l'en retira mais j'appris qu'il n'avait pas un sou. J'allai seul au rendez-vous que nous avions pris tous les trois, je dus apprendre la nouvelle à Dullin. Il restait silencieux, les yeux brillants de malice. Sans manifester la moindre déception. À la fin de mon petit discours, je déclarai que je reprenais ma pièce. « Pourquoi ? me demanda-t-il. Je la monte tout de même. » Je ne sais trop s'il lui faisait confiance tout à fait. Mais il voulait, en dépit des dangers, poursuivre au Sarah-Bernhardt sa politique théâtrale de l'Atelier, faire jouer de jeunes auteurs en souhaitant, certes, le succès, mais sans trop s'en préoccuper. Bref, il prit tous les risques — et perdit : la pièce, éreintée par la critique, eut une cinquantaine de représentations devant des salles à demi vides. Il ne m'en voulut pas un instant : seul maître à bord. Il se jugeait seul responsable et je ressens, toute vive encore, mon amitié pour lui quand je me rappelle de quel air désolé il m'apprit qu'il arrêtait les représentations, le jour où, à la lettre, il devint impossible de les continuer.

Et puis, d'une certaine façon, nous n'avions perdu ni l'un ni l'autre. Sa grandeur aura été de

Jean-Paul Sartre, in Michel Contat et Michel Rybalka, *Un théâtre de situations*, Paris, Gallimard, 1973, p. 226-228.

découvrir des auteurs qui remportaient chez lui des vestes et connaissaient ensuite le succès sur d'autres scènes. Et puis il avait fait, en ce cas, ce qu'il souhaitait depuis longtemps : monter une tragédie moderne. *Les mouches*, est-ce une tragédie ? Je n'en sais rien, je sais qu'elle le devint entre ses mains. Il avait de la tragédie grecque une idée complexe : une violence sauvage et sans frein devait s'y exprimer avec une rigueur toute classique. Il s'efforça de plier *Les mouches* à cette double exigence. Il voulut capter des forces dionysiaques et les organiser, les exprimer par le jeu libre et serré d'images apolliniennes ; il y réussit. Il le sut et l'entier succès de cette mise en scène — qui faisait rendre à ma pièce ce qui n'y était sans doute pas mais que, certainement, j'avais rêvé d'y mettre — compensait à ses yeux l'insuccès du spectacle. Du coup, je gagnai, moi aussi : ce que je sais du métier, ce sont les répétitions qui me l'apprirent. Je vis avec étonnement Dullin, avec des moyens volontairement — et par force — minimes, remplir *toutes* mes naïves exigences. Rien n'était donné, tout suggéré. La richesse, insaisissable, s'offrant à travers la pauvreté, la violence et le sang présentés par un calme mouvement, l'union patiemment cherchée de ces contraires, tout contribuait à faire naître sous mes yeux une étonnante *tension* qui manquait à ma pièce et qui devint, dès lors — pour moi — *l'essence du drame*. Mon dialogue était verbeux ; Dullin, sans m'en faire reproche ni me conseiller d'abord des coupures, me fit comprendre, en s'adressant aux seuls acteurs, qu'une pièce de théâtre doit être exactement le contraire d'une orgie d'éloquence, c'est-à-dire : le plus petit nombre de mots accolés ensemble, irrésistiblement, par une action irréversible et une passion sans repos. Il disait : « Ne jouez pas les mots, jouez la situation », et je comprenais en le

voyant travailler le sens profond qu'il donnait seul
à ce précepte banal. La situation, pour lui, c'était
cette totalité vivante qui s'organise temporelle-
ment pour glisser, inflexible, de la naissance à la
mort et qui doit créer des expressions qui la tra-
duisent à la fois dans son ensemble indivisible et
dans le moment particulier où elle s'incarne.
J'adoptais le précepte à mon usage : « N'écrivez
pas les mots, écrivez la situation. » Il fallait composer comme il faisait jouer ; au théâtre on ne
reprend pas ses billes : quand une parole n'est
point telle qu'on ne puisse plus revenir en arrière
après l'avoir prononcée, il faut la retirer soigneuse-
ment du dialogue. Cette austère pauvreté, miroir
fascinant des richesses dont elle ne veut jamais
nous donner que le reflet imaginaire, cet inflexible
mouvement dramatique qui engendre la pièce
pour la tuer, c'était l'art même de Dullin. Ce fut
pour moi son enseignement : après les répétitions
des *Mouches*, je ne vis plus jamais le théâtre avec
les mêmes yeux.

IV. THÉORIQUES

1. LIBERTÉ ET RESPONSABILITÉ

Si le tragique réside dans la condamnation à la liberté, il revient à l'homme d'assumer son existence indéterminée, et de fonder, sans aucune légitimité préalable, son rapport au monde dont il porte la responsabilité. Tel est le sens de l'engagement d'Oreste et de la responsabilité de Garcin.

[...] l'homme, étant condamné à être libre, porte le poids du monde tout entier sur ses épaules : il est responsable du monde et de lui-même en tant que manière d'être. Nous prenons le mot de « responsabilité » en son sens banal de « conscience (d') être l'auteur incontestable d'un événement ou d'un objet ». En ce sens, la responsabilité du pour-soi est accablante, puisqu'il est celui par qui il se fait *qu'il y ait* un monde ; et, puisqu'il est aussi celui qui *se fait être*, quelle que soit donc la situation où il se trouve, le pour-soi doit assumer entièrement cette situation avec son coefficient d'adversité propre, fût-il insoutenable ; il doit l'assumer avec la conscience orgueilleuse d'en être l'auteur, car les pires inconvénients ou les pires menaces qui risquent d'atteindre ma personne n'ont de sens que par mon projet ; et c'est sur le fond de l'engagement que je suis qu'ils paraissent. Il est donc insensé de songer à se plaindre, puisque rien d'étranger n'a décidé de ce que nous ressentons, de ce que nous vivons ou de ce que nous sommes. Cette responsabilité absolue n'est pas acceptation d'ailleurs : elle est simple revendication logique des conséquences de notre liberté. Ce qui m'arrive m'arrive par moi et je ne saurais ni m'en affecter ni me révolter ni m'y résigner. D'ail-

Jean-Paul Sartre,
L'Être et le Néant,
Paris, Gallimard,
1943, p. 639-642.

leurs, tout ce qui m'arrive est *mien* : il faut entendre par là, tout d'abord, que je suis toujours à la hauteur de ce qui m'arrive, en tant qu'homme, car ce qui arrive à un homme par d'autres hommes et par lui-même ne saurait être qu'humain. Les plus atroces situations de la guerre, les pires tortures ne créent pas d'état de choses inhumain : il n'y a pas de situation inhumaine ; c'est seulement par la peur, la fuite et le recours aux conduites magiques que je *déciderai* de l'inhumain ; mais cette décision est humaine et j'en porterai l'entière responsabilité. Mais la situation est *mienne* en outre parce qu'elle est l'image de mon libre choix de moi-même et tout ce qu'elle me présente est *mien* en ce que cela me représente et me symbolise. [...] Je suis *délaissé* dans le monde, non au sens où je demeurerais abandonné et passif dans un univers hostile, comme la planche qui flotte sur l'eau, mais, au contraire, au sens où je me trouve soudain seul et sans aide, engagé dans un monde dont je porte l'entière responsabilité, sans pouvoir, quoi que je fasse, m'arracher, fût-ce un instant, à cette responsabilité, car de mon désir même de fuir les responsabilités, je suis responsable ; me faire passif dans le monde, refuser d'agir sur les choses et sur les Autres, c'est encore me choisir, et le suicide est un mode parmi d'autres d'être-dans-le-monde. Cependant je retrouve une responsabilité absolue du fait que ma facticité, c'est-à-dire ici le fait de ma naissance est insaisissable directement et même inconcevable, car ce fait de ma naissance ne m'apparaît jamais brut, mais toujours à travers une reconstruction pro-jective de mon pour-soi ; j'ai honte d'être né ou je m'en étonne, ou je m'en réjouis, ou, en tentant de m'ôter la vie, j'affirme que je vis et j'assume cette vie comme mauvaise. Ainsi, en un certain sens, je *choisis* d'être né. Ce choix lui-même est affecté intégralement de facticité, puisque je ne peux pas ne pas choisir ; mais cette facticité à son tour n'apparaîtra qu'en tant que je la dépasse vers mes fins. Ainsi, la facticité est partout, mais insaisissable ; je ne rencontre jamais que ma responsabilité, c'est pourquoi je ne puis demander « *Pourquoi* suis-je né ? », maudire le jour de ma naissance ou déclarer que je n'ai pas demandé à naître, car ces différentes attitudes envers ma naissance, c'est-à-dire envers le *fait* que je réalise une présence dans le monde ne sont pas autre chose, précisément, que des manières d'assumer en pleine responsabilité cette naissance et de la faire *mienne* ; ici encore, je ne rencontre que moi et mes projets, en sorte que finalement mon délaissement, c'est-à-dire ma facticité, consiste simplement en ce que je suis condamné à être intégralement responsable de moi-même. Je suis l'être qui *est* comme être dont l'être est en question dans son être. Et cet « est » de mon être est comme présent et insaisissable.

En ces conditions, puisque tout événement du monde ne peut se découvrir à moi que comme *occasion* (occasion *mise à profit, manquée, négligée*, etc.), ou, mieux encore, puisque tout ce qui nous arrive peut être considéré comme une *chance*, c'est-à-dire ne peut nous apparaître que comme moyen de réaliser cet être qui est en question dans notre être et puisque les autres, comme transcendances-transcendées, ne sont, eux aussi, que des *occasions* et des *chances*, la responsabilité du pour-soi s'étend au monde entier comme monde-peuplé. C'est ainsi, précisément, que le pour-soi se saisit dans l'angoisse, c'est-à-dire comme un être qui n'est fondement ni de son être, ni de l'être de l'autre, ni des en-soi qui forment le monde, mais qui est contraint de décider du sens de l'être, en lui et partout hors de lui. Celui qui réalise dans l'angoisse sa condition d'*être* jeté dans une responsabilité qui se retourne jusque sur son délaissement n'a plus ni remords, ni regret, ni excuse ; il n'est plus qu'une liberté qui se découvre parfaitement elle-même et dont l'être réside en cette découverte même.

2. AUTRUI

LE REGARD

La conscience, refusant le bouleversement que l'existence d'autrui impose au monde, peut objectiver l'autre en le considérant comme une chose. Mais dès qu'autrui lui impose un regard, c'est la conscience elle-même qui se retrouve objectivée, comme en témoignent les regards inquisiteurs des personnages de *Huis clos*.

Tout d'abord, le *regard d'autrui*, comme condition nécessaire de mon objectivité, est destruction de toute objectivité pour moi. Le regard d'autrui m'atteint à travers le monde et n'est pas seulement transformation de moi-même, mais métamorphose totale du *monde*. Je suis regardé dans un monde regardé. En particulier, le regard d'autrui — qui est regard-regardant et non regard-regardé — nie mes distances aux objets et déplie ses distances propres. Ce regard d'autrui se donne immédiatement comme ce par quoi la distance vient au monde au sein d'une présence sans distance. Je recule, je suis démuni de ma présence sans distance à mon monde et je suis pourvu d'une distance à autrui : me voilà à quinze pas de la porte, à six mètres de la fenêtre. Mais autrui vient me chercher pour me constituer à une certaine distance de lui. Tant qu'autrui me constitue comme à six mètres de lui, il faut qu'il soit présent à moi sans distance. Ainsi, dans l'expérience même de ma distance aux choses et à

Jean-Paul Sartre, *L'Être et le Néant*, Paris, Gallimard, 1943, p. 328-329.

autrui, j'éprouve la présence sans distance d'autrui à moi. Chacun reconnaîtra, dans cette description abstraite, cette présence immédiate et brûlante du regard d'autrui qui l'a souvent rempli de honte. Autrement dit, en tant que je m'éprouve comme regardé, se réalise pour moi une présence transmondaine d'autrui : ce n'est pas en tant qu'il est « au milieu » de *mon* monde qu'autrui me regarde, mais c'est en tant qu'il vient vers le monde et vers moi de toute sa transcendance, c'est en tant qu'il n'est séparé de moi par aucune distance, par aucun objet du monde, ni réel, ni idéal, par aucun corps du monde, mais par sa seule nature d'autrui. Ainsi, l'apparition du regard d'autrui n'est pas apparition *dans le monde* : ni dans le « mien » ni dans « celui d'autrui » ; et le rapport qui m'unit à autrui ne saurait être un rapport d'extériorité à l'intérieur du monde, mais, par le regard d'autrui, je fais l'épreuve concrète qu'il y a un au-delà du monde. Autrui m'est présent sans aucun intermédiaire comme une transcendance *qui n'est pas la mienne*. Mais cette présence n'est pas réciproque : il s'en faut de toute l'épaisseur du monde pour que je sois, moi, présent à autrui. Transcendance omniprésente et insaisissable, posée sur moi sans intermédiaire en tant que je suis mon être-non-révélé, et séparée de moi par l'infini de l'être, en tant que je suis plongé par ce regard au sein d'un monde complet avec ses distances et ses ustensiles : tel est le regard d'autrui, quand je l'éprouve d'abord comme regard.

Mais, en outre, autrui, en figeant mes possibilités, me révèle l'impossibilité où je suis d'être objet sinon pour une autre liberté. Je ne puis être objet pour moi-même car je suis ce que je suis : livré à ses seules ressources, l'effort réflexif vers le dédoublement aboutit à l'échec, je suis toujours ressaisi par moi. Et lorsque je pose naïvement qu'il est possible que je sois, sans m'en rendre compte, un être objectif, je suppose implicitement par là même l'existence d'autrui, car comment serais-je objet si ce n'est pour un sujet ? Ainsi autrui est d'abord pour moi l'être pour qui je suis objet, c'est-à-dire l'être *par qui* je gagne mon objectité. Si je dois seulement pouvoir concevoir une de mes propriétés sur le mode objectif, autrui est déjà donné. Et il est donné non comme être de mon univers, mais comme sujet pur. Ainsi ce sujet pur que je ne puis, par définition, *connaître*, c'est-à-dire poser comme objet, il est toujours *là*, hors de portée et sans distance lorsque j'essaie de me saisir comme objet. Et dans l'épreuve du regard, en m'éprouvant comme objectité non-révélée, j'éprouve directement et avec mon être l'insaisissable subjectivité d'autrui.

« L'ENFER, C'EST LES AUTRES »

Sartre revient sur les contresens commis à propos de cette formule, et rappelle l'importance constitutive d'autrui.

[...] « l'enfer, c'est les autres » a été toujours mal compris. On a cru que je voulais dire par là que nos rapports avec les autres étaient toujours empoisonnés, que c'étaient toujours des rapports infernaux. Or, c'est tout autre chose que je veux dire. Je veux dire que si les rapports avec autrui sont tordus, viciés, alors l'autre ne peut être que l'enfer. Pourquoi ? Parce que les autres sont au fond ce qu'il y a de plus important en nous-mêmes pour notre propre connaissance de nous-mêmes. Quand nous pensons sur nous, quand nous essayons de nous connaître, au fond nous usons des connaissances que les autres ont déjà sur nous. Nous nous jugeons avec les moyens que les autres ont, nous ont donnés de nous juger. Quoi que je dise sur moi, toujours le jugement d'autrui

Jean-Paul Sartre, in Michel Contat et Michel Rybalka, *Un théâtre de situations*, Paris, Gallimard, 1973, p. 238-239.

entre dedans. Quoi que je sente en moi, le jugement d'autrui entre dedans. Ce qui veut dire que, si mes rapports sont mauvais, je me mets dans la totale dépendance d'autrui. Et alors en effet je suis en enfer. Et il existe une quantité de gens dans le monde qui sont en enfer parce qu'ils dépendent trop du jugement d'autrui. Mais cela ne veut nullement dire qu'on ne puisse avoir d'autres rapports avec les autres. Ça marque simplement l'importance capitale de tous les autres pour chacun de nous.

Deuxième chose que je voudrais dire, c'est que ces gens ne sont pas semblables à nous. Les trois personnes que vous entendrez dans *Huis clos* ne nous ressemblent pas en ceci que nous sommes vivants et qu'ils sont morts. Bien entendu, ici, « morts » symbolise quelque chose. Ce que j'ai voulu indiquer, c'est précisément que beaucoup de gens sont encroûtés dans une série d'habitudes, de coutumes, qu'ils ont sur eux des jugements dont ils souffrent mais qu'ils ne cherchent même pas à changer. Et que ces gens-là sont comme morts. En ce sens qu'ils ne peuvent briser le cadre de leurs soucis, de leurs préoccupations et de leurs coutumes ; et qu'ils restent ainsi victimes souvent des jugements qu'on a portés sur eux. À partir de là, il est bien évident qu'ils *sont* lâches ou méchants, par exemple. S'ils ont commencé à être lâches, rien ne vient changer le fait qu'ils étaient lâches. C'est pour cela qu'ils sont morts, c'est pour cela, c'est une manière de dire que c'est une mort vivante que d'être entouré par le souci perpétuel de jugements et d'actions que l'on ne veut pas changer. De sorte que, en vérité, comme nous sommes vivants, j'ai voulu montrer par l'absurde l'importance chez nous de la liberté, c'est-à-dire l'importance de changer les actes par d'autres actes. Quel que soit le cercle d'enfer dans lequel nous vivons, je pense que nous sommes libres de le briser. Et si les gens ne le brisent pas, c'est encore librement qu'ils y restent. De sorte qu'ils se mettent librement en enfer.

Vous voyez donc que, rapports avec les autres, encroûtement et liberté, liberté comme l'autre face à peine suggérée, ce sont les trois thèmes de la pièce. Je voudrais qu'on se le rappelle quand vous entendrez dire : l'enfer, c'est les autres.

3. LE CONFLIT

Dans *L'Être et le Néant*, Sartre étudie plusieurs comportements qui engagent les rapports de la conscience avec autrui et témoignent toujours d'un conflit opposant liberté et aliénation. *Huis clos* présente ainsi les relations amoureuses, sadiques ou haineuses des personnages. De même, la haine d'Électre témoigne de sa dépendance à l'égard d'autrui.

L'AMOUR

[...] l'amant veut être aimé par une liberté et réclame que cette liberté comme liberté ne soit plus libre. Il veut à la fois que la liberté de l'Autre se détermine elle-même à devenir amour — et cela, non point seulement au commencement de l'aventure mais à chaque instant — et, à la fois, que cette liberté soit captivée *par elle-même*, qu'elle se retourne sur elle-même, comme dans la folie, comme dans le rêve, pour vouloir sa captivité. Et cette captivité doit être démission libre et enchaînée à la fois entre nos mains. Ce n'est pas le déterminisme passionnel que nous désirons chez autrui, dans l'amour, ni une liberté hors d'atteinte : mais c'est une liberté qui *joue* le déterminisme passionnel et qui se prend à son jeu. Et,

Jean-Paul Sartre,
L'Être et le Néant,
Paris, Gallimard,
1943, p. 434-435.

pour lui-même, l'amant ne réclame pas d'être *cause* de cette modification radicale de la liberté, mais d'en être l'occasion unique et privilégiée. Il ne saurait en effet vouloir en être la cause sans plonger aussitôt l'aimé au milieu du monde comme un outil que l'on peut transcender. Ce n'est pas là l'essence de l'amour. Dans l'Amour, au contraire, l'amant veut être « tout au monde » pour l'aimé : cela signifie qu'il se range du côté du monde ; il est ce qui résume et symbolise le monde, il est un *ceci* qui enveloppe tous les autres « ceci », il est et accepte d'être *objet*. Mais, d'autre part, il veut être l'objet dans lequel la liberté d'autrui accepte de se perdre, l'objet dans lequel l'autre accepte de trouver comme sa facticité seconde, son être et sa raison d'être ; l'objet limite de la transcendance, celui vers lequel la transcendance d'Autrui transcende tous les autres objets mais qu'elle ne peut aucunement transcender. Et, partout, il désire le cercle de la liberté d'Autrui ; c'est-à-dire qu'à chaque instant, dans l'acceptation que la liberté d'Autrui fait de cette limite à sa transcendance, cette acceptation soit *déjà* présente comme mobile de l'acceptation considérée. C'est à titre de fin déjà choisie qu'il veut être choisi comme fin. Ceci nous permet de saisir à fond ce que l'amant exige de l'aimé : il ne veut pas *agir* sur la liberté de l'Autre mais exister *a priori* comme la limite objective de cette liberté, c'est-à-dire être donné d'un coup avec elle et dans son surgissement même comme la limite qu'elle doit accepter pour être libre. De ce fait même, ce qu'il exige est un engluement, un empâtement de la liberté d'autrui par elle-même : cette limite de structure est en effet un *donné* et la seule apparition du donné comme limite de la liberté signifie que la liberté *se fait exister* à l'intérieur du donné en étant sa propre interdiction de le dépasser. Et cette interdiction est envisagée par l'amant *à la fois* comme vécue, c'est-à-dire comme subie — en un mot comme une facticité — et à la fois comme librement consentie. Elle doit pouvoir être librement consentie puisqu'elle doit ne faire qu'un avec le surgissement d'une liberté qui se choisit comme liberté. Mais elle doit être seulement vécue puisqu'elle doit être une impossibilité toujours présente, une facticité qui reflue sur la liberté de l'Autre jusqu'à son cœur.

LE SADISME

[...] le sadique traite l'autre comme instrument pour faire paraître la chair de l'Autre ; le sadique est l'être qui appréhende l'Autre comme l'instrument dont la fonction est sa propre incarnation. L'idéal du sadique sera donc d'atteindre le moment où l'Autre sera déjà chair sans cesser d'être instrument, chair à faire naître de la chair ; où les cuisses, par exemple, s'offrent déjà dans une passivité obscène et épanouie et sont encore des instruments qu'on manie, qu'on écarte et que l'on courbe, pour faire saillir davantage les fesses et pour les incarner à leur tour. Mais ne nous y trompons pas : ce que le sadique recherche ainsi avec tant d'acharnement, ce qu'il veut pétrir avec ses mains et plier sous son poing, c'est la liberté de l'Autre : elle est là, dans cette chair, c'est elle qui est cette chair, puisqu'il y a une facticité de l'Autre ; c'est donc elle que le sadique tente de s'approprier. Ainsi l'effort du sadique est pour engluer Autrui dans sa chair par la violence et par la douleur, en s'appropriant le corps de l'Autre par le fait qu'il le traite comme chair à faire naître de la chair ; mais cette appropriation dépasse le corps qu'elle s'approprie, car elle ne veut le posséder qu'en tant qu'il a englué en lui la liberté de l'Autre. C'est pourquoi le sadique voudra des preuves manifestes de cet asservissement par la chair de

Jean-Paul Sartre, *L'Être et le Néant*, Paris, Gallimard, 1943, p. 473.

la liberté de l'Autre : il visera à faire demander pardon, il obligera par la torture et la menace l'Autre à s'humilier, à renier ce qu'il a de plus cher. On a dit que c'était par goût de domination, par volonté de puissance. Mais cette explication est vague ou absurde. C'est le goût de la domination qu'il faudrait expliquer d'abord. Et ce goût, précisément, ne saurait être antérieur au sadisme comme son fondement, car il naît comme lui et sur le même plan que lui, de l'inquiétude en face de l'Autre. En fait si le sadique se plaît à arracher un reniement par la torture c'est pour une raison analogue à celle qui permet d'interpréter le sens de l'*Amour*.

LA HAINE

[...] la haine n'abaisse pas l'objet haï. Car elle pose le débat sur son véritable terrain : ce que je hais en l'autre, ce n'est pas telle physionomie, tel travers, telle action particulière. C'est son existence en général, comme transcendance-transcendée. C'est pourquoi la haine implique une reconnaissance de la liberté de l'autre. Seulement, cette reconnaissance est abstraite et négative : la haine ne connaît que l'autre-objet et s'attache à cet objet. C'est cet objet qu'elle veut détruire, pour supprimer du même coup la transcendance qui le hante. Cette transcendance n'est que pressentie, comme au-delà inaccessible, comme perpétuelle possibilité d'aliénation du pour-soi qui hait. [...] La haine est haine de tous les autres en un seul. Ce que je veux atteindre symboliquement en poursuivant la mort de tel autre, c'est le principe général de l'existence d'autrui. L'autre que je hais représente en fait *les* autres. Et mon projet de le supprimer est projet de supprimer autrui en général, c'est-à-dire de reconquérir ma liberté non-substantielle de pour-soi. Dans la haine, une compréhension est donnée de ce que ma dimension

Jean-Paul Sartre, *L'Être et le Néant*, Paris, Gallimard, 1943, p. 482-483.

d'être-aliéné est un asservissement *réel* qui me vient par les autres. C'est la suppression de cet asservissement qui est projetée. C'est pourquoi la haine est un sentiment *noir*, c'est-à-dire un sentiment qui vise la suppression d'un autre et qui, en tant que projet, se projette consciemment contre la désapprobation des autres. La haine que l'autre porte à un autre, je la désapprouve, elle m'inquiète et je cherche à la supprimer parce que, bien que je ne sois pas explicitement visé par elle, je sais qu'elle me concerne et qu'elle se réalise contre moi. Et elle vise, en effet, à me détruire non en tant qu'elle chercherait à me supprimer, mais en tant qu'elle réclame principalement ma désapprobation pour pouvoir passer outre. La haine réclame d'être haïe, dans la mesure où haïr la haine équivaut à une reconnaissance inquiète de la liberté du haïssant.

Mais la haine, à son tour, est un échec. Son projet initial, en effet, est de supprimer les autres consciences. Mais si même elle y parvenait, c'est-à-dire si elle pouvait abolir l'autre dans le moment présent, elle ne pourrait faire que l'autre n'ait pas été. Mieux encore, l'abolition de l'autre, pour être vécue comme le triomphe de la haine, implique la reconnaissance explicite qu'autrui *a existé*. Dès lors, mon être-pour-autrui, en glissant au passé, devient une dimension irrémédiable de moi-même. Il est ce que j'ai à être comme l'ayant-été. Je ne saurais donc m'en délivrer. Au moins, dira-t-on, j'y échappe pour le présent, j'y échapperai dans le futur : mais non. Celui qui, une fois, a été pour autrui est contaminé dans son être pour le restant de ses jours, autrui fût-il entièrement supprimé : il ne cessera de saisir sa dimension d'être-pour-autrui comme une possibilité permanente de son être. Il ne saurait reconquérir ce qu'il a aliéné ; il a même perdu tout espoir d'agir sur cette aliénation et de la tourner à son profit puisque l'autre détruit a emporté la clé de cette aliénation dans la tombe. Ce que j'étais pour l'autre est figé par la mort de l'autre et je le serai irrémédiablement au passé ; je le serai aussi, et de la même manière, au présent si je persévère dans l'attitude, les projets et le mode de vie qui ont été jugés par l'autre. La mort de l'autre me constitue comme objet irrémédiable, exactement comme ma propre mort.

4. LE VISAGE

LA TRANSCENDANCE VISIBLE

Dans un texte de 1939, Sartre présente une description phénoménologique du visage pour en dégager la perpétuelle échappée hors de la chair.

[...] le visage n'est pas simplement la partie supérieure du corps. Un corps est une forme close, il absorbe l'univers comme un buvard absorbe l'encre. La chaleur, l'humidité, la lumière s'infiltrent par les interstices de cette matière rose et poreuse, le monde entier traverse le corps et l'imprègne. Observez à présent ce visage aux yeux clos. Corporel encore et pourtant déjà différent d'un ventre ou d'une cuisse ; il a quelque chose de plus, la voracité ; il est percé de trous goulus qui happent tout ce qui passe à portée. Les bruits viennent clapoter dans les oreilles et les oreilles les engloutissent ; les odeurs emplissent les narines comme des tampons d'ouate. Un visage sans les yeux, c'est une bête à lui tout seul, une de ces bêtes incrustées dans la coque des bateaux et qui remuent l'eau de leurs pattes pour attirer vers elles les détritus flottants. Mais voici les yeux qui s'ouvrent et le regard paraît : les choses bondissent en arrière ; à l'abri derrière le regard, oreilles, narines, toutes les bouches immondes de

Jean-Paul Sartre, « Visages », in Michel Contat et Michel Rybalka, *Les écrits de Sartre*, Paris, Gallimard, 1970, p. 562-564.

la tête continuent sournoisement à mâchonner les odeurs et les sons, mais personne n'y prend garde. Le regard c'est la noblesse des visages parce qu'il tient le monde à distance et perçoit les choses où elles sont.

Voici une boule d'ivoire, sur la table, et puis, là-bas, un fauteuil. Entre ces deux inerties, mille chemins sont également possibles, ce qui revient à dire qu'il n'y a pas du tout de chemin, mais seulement un éparpillement infini d'autres inerties ; s'il me plaît de les rejoindre par une route que je trace dans les airs du bout de mon doigt, cette route, au fur et à mesure que je la trace, s'égrène en poussière : un chemin n'existe qu'en mouvement. Lorsque je considère, à présent, ces deux autres boules, les yeux de mon ami, je remarque d'abord qu'il y a pareillement entre elles et le fauteuil un millier de chemins possibles : cela signifie que mon ami ne regarde pas ; par rapport au fauteuil ses yeux sont encore des choses. Mais voici que les deux boules tournent dans leurs orbites, voici que les yeux deviennent regard. Un chemin se fraye tout à coup dans la pièce, un chemin *sans mouvement*, le plus court, le plus raide. Le fauteuil, par-dessus un entassement de masses inertes, sans quitter sa place est immédiatement présent à ces yeux. Cette présence instantanée aux yeux-regard, alors qu'il demeure à vingt pas des yeux-choses, je la perçois *sur* le fauteuil, comme une altération profonde de sa nature. Tout à l'heure, poufs, canapés, sofas, divans se disposaient en rond autour de moi. Maintenant le salon s'est décentré ; au gré de ces yeux étrangers les meubles et les bibelots s'animent tour à tour d'une vitesse centrifuge et immobile, ils se vident en arrière et par côté, ils s'allègent de qualités que je ne leur soupçonnais même pas, que je ne verrai jamais, dont je sais à présent qu'elles étaient là, en eux, denses et tassées, qu'elles les lestaient, qu'elles attendaient le regard d'un autre pour naître. Je commence à comprendre que la *tête* de mon ami, tiède et rose contre le dossier de la bergère, n'est pas le tout de son *visage* : c'en est seulement le noyau. Son visage c'est le glissement figé du mobilier ; son visage est partout, il existe aussi loin que son regard peut porter. Et ses yeux, à leur tour, si je les contemple, je vois bien qu'ils ne sont pas fichés là-bas dans sa tête, avec la sérénité des billes d'agate : ils sont créés à chaque instant par ce qu'ils regardent, ils ont leur sens et leur achèvement hors d'eux-mêmes, derrière moi, au-dessus de ma tête ou à mes pieds. De là vient le charme magique des vieux portraits : ces têtes que Nadar a photographiées aux environs de 1860, il y a beau temps qu'elles sont mortes. Mais leur regard reste, et le monde du Second Empire, éternellement présent au bout de leur regard.

Je peux conclure, car je ne visais que l'essentiel : on découvre, parmi les choses, de certains êtres qu'on nomme les visages. Mais ils n'ont pas l'existence des choses. Les choses n'ont pas d'avenir et l'avenir entoure le visage comme un manchon. Les choses sont jetées au milieu du monde, le monde les enserre et les écrase, mais pour elle il n'est point monde : il n'est que l'absurde poussée des masses les plus proches. Le regard au contraire, parce qu'il perçoit à distance, fait apparaître soudain l'Univers et, par là même, s'évade de l'univers. Les choses sont tassées dans le présent, elles grelottent à leur place, sans bouger ; le visage se jette en avant de lui-même, dans l'étendue et dans le temps. Si l'on appelle transcendance cette propriété qu'a l'esprit de se dépasser et de dépasser toute chose ; de s'échapper à soi pour s'aller perdre là-bas, hors de soi, n'importe où, mais ailleurs, alors le sens d'un visage c'est d'être la transcendance *visible*.

Le reste est secondaire : l'abondance de la chair peut empâter cette transcendance ; il se peut aussi que les appareils des sens ruminants l'emportent sur le regard et que nous soyons attirés d'abord par les deux plateaux cartilagineux ou par les trous humides et velus des narines ; et puis le modelé peut intervenir et façonner la tête selon les qualités de l'aigu, du rond, du tombant, du boursouflé. Mais il n'est pas un trait du visage qui ne reçoive d'abord sa signification de cette sorcellerie primitive que nous avons nommée transcendance.

LE VISAGE ÉTHIQUE

Emmanuel Lévinas, philosophe contemporain, a consacré une grande part de sa réflexion à l'altérité, et à la responsabilité de la conscience non seulement pour soi, mais avant tout pour autrui.

Le visage est signification, et signification sans contexte. Je veux dire qu'autrui, dans la rectitude de son visage, n'est pas un personnage dans un contexte. D'ordinaire, on est un « personnage » : on est professeur à la Sorbonne, vice-président du Conseil d'État, fils d'untel, tout ce qui est dans le passeport, la manière de se vêtir, de se présenter. Et toute signification, au sens habituel du terme, est relative à un tel contexte : le sens de quelque chose tient dans sa relation à autre chose. Ici, au contraire, le visage est sens à lui seul. Toi, c'est toi. En ce sens, on peut dire que le visage n'est pas « vu ». Il est ce qui ne peut devenir un contenu, que votre pensée embrasserait ; il est l'incontenable, il vous mène au-delà. C'est en cela que la signification du visage le fait sortir de l'être en tant que corrélatif d'un savoir. Au contraire, la vision est recherche d'une adéquation ; elle est ce qui par excellence absorbe l'être. Mais la relation

Emmanuel Lévinas, *Éthique et infini*, © Librairie Arthème Fayard, 1982, p. 90-92.

au visage est d'emblée éthique. Le visage est ce qu'on ne peut tuer, ou du moins ce dont le *sens* consiste à dire : « tu ne tueras point ». Le meurtre, il est vrai, est un fait banal : on peut tuer autrui ; l'exigence éthique n'est pas une nécessité ontologique. L'interdiction de tuer ne rend pas le meurtre impossible, même si l'autorité de l'interdit se maintient dans la mauvaise conscience du mal accompli — malignité du mal. Elle apparaît aussi dans les Écritures, auxquelles l'humanité de l'homme est exposée autant qu'elle est engagée dans le monde. Mais à vrai dire l'apparition, dans l'être, de ces « étrangetés éthiques » — humanité de l'homme — est une rupture de l'être. Elle est signifiante, même si l'être se renoue et se reprend.

V. CRITIQUES

1. *LES MOUCHES*

MICHEL LEIRIS

Au moment de la création des *Mouches*, l'écrivain Michel Leiris rédige un compte rendu qui paraît clandestinement dans *Les Lettres françaises*. Il donne, en quelque sorte, le point de vue et l'assentiment du milieu littéraire résistant, éclairant le message politique et philosophique de la pièce avec beaucoup de perspicacité.

Les mouches — j'entends ici : les vraies, les policières, celles qui pullulent dans les journaux stipendiés — ont bourdonné très fort, l'été dernier, contre ces autres *Mouches*, pièce dont le thème est celui de l'*Orestie* d'Eschyle et qui vient d'être reprise au Théâtre de la Cité.

L'aubaine était en effet excellente, car dans cette œuvre — telle qu'on n'en avait pas vu en France d'aussi puissante depuis nombre d'années — un problème crucial est abordé : celui de la liberté comme fondement même de l'homme ou condition *sine qua non* pour qu'il y ait, au sens strict du terme, « humanité ».

Inutile de rappeler ici, autrement qu'en quelques mots, le sujet de l'*Orestie* : après le meurtre d'Agamemnon, roi d'Argos et de Mycènes, par son épouse Clytemnestre qu'assiste son amant Égisthe, le fils d'Agamemnon, Oreste, aidé de sa sœur Électre que les deux meurtriers ont réduite en servage, les tue et délivre du même coup Argos de leur tyrannie ; réfugié à Athènes, Oreste, protégé par Apollon et par Minerve, fait sa paix avec les Érinyes, qui le poursuivaient en tant que pré-

Michel Leiris, « Oreste et la Cité », *Les Lettres françaises*, nº 12, décembre 1943, p. 1-3.

posées par les dieux à la vengeance du sang maternel.

De l'*Orestie, Les mouches* ont repris le thème central : châtiment de Clytemnestre et d'Égisthe par le jeune Oreste, qui doit ensuite faire face aux Érinyes, ici représentées sous la forme de mouches, insectes effectivement obsédants comme le peuvent être les remords. Mais, de la *tragédie* antique au *drame* contemporain, l'orientation a totalement changé : de victime de la fatalité, Oreste est devenu champion de la liberté. S'il tue, ce n'est plus poussé par des forces obscures mais en pleine connaissance de cause, pour faire acte de justice et, par cette prise de parti délibérée, exister enfin en tant qu'homme au lieu d'être le vague adolescent que les fleurs de la plus fine culture avaient simplement affranchi des communs préjugés sans lui fournir le moyen d'accéder à la virilité (l'on songerait presque, ici, au meurtre initiatique que, dans certaines sociétés dites « primitives », le jeune homme est obligé d'accomplir avant de prendre rang parmi les adultes). S'il tient en respect les Érinyes, ce n'est plus grâce à la mise en jeu d'un rituel et d'une procédure mais parce que, ayant assumé l'entière responsabilité de son acte, il n'a pas à connaître le remords et peut opposer un front d'airain à ces sirènes, qu'on nous montre terribles et à la fois chargées de toute la séduction qu'ont, pour les faibles, délectation morose et auto-accusation.

À la rigueur de l'attitude d'Oreste, s'oppose l'inconsistance de celle d'Électre, véhémente et sacrilège mais qui, incapable de sortir du cercle passionnel, de s'évader du cycle des rancunes familiales, apparaît confinée entre l'érotisme et une sorte de contre-religiosité qui n'est, en somme, qu'une piété retournée et, par conséquent, se situe encore sur le plan religieux. Rongée par la haine comme les gens d'Argos le sont par la peur, Électre qui, faute de lucidité et de courage, n'a pas agi librement — ressemblant en cela à sa mère Clytemnestre comme elle lui ressemble physiquement — sera la proie du remords et n'échappera aux Érinyes que par le repentir, allant jusqu'à renier la fureur qui l'animait quand elle poussait son frère à faire vengeance.

À ces apports tout nouveaux au thème classique de l'*Orestie*, il faut joindre la conduite de l'Oreste des *Mouches* à l'égard du peuple qu'il a débarrassé de ses tyrans. Alors qu'à la fin de l'*Orestie* Oreste retourne à Mycènes pour rentrer en possession de l'héritage paternel, Oreste, dans *Les mouches*, refuse de régner et quitte sa ville natale sans intention de retour, entraînant avec lui les mouches ou Érinyes qui infestaient la ville.

À la passivité d'Égisthe (si las de son pouvoir, si écrasé par le dégoût, qu'il s'offre de lui-même, telle une victime sacrificielle, au couteau du meurtrier) s'oppose, comme ce qui vit à ce qui est déjà mort, l'activité du jeune Oreste. La tyrannie, en effet, enferme Égisthe dans un cercle vicieux : il s'est fait meurtrier par goût de l'ordre, pour que l'ordre règne *par lui* ; mais cet ordre s'avère bientôt n'être que le réseau de croyances et de rites qu'il doit forger lui-même pour se faire craindre des autres, pour leur faire partager sa mauvaise conscience ; finalement il est, comme il le dit, victime de l'image de lui-même qu'il impose à ses sujets. Tout, en lui, n'est plus alors que peur : peur des spectres qu'il a lui-même inventés pour terrifier les autres par ces personnifications de leurs remords, peur qu'il a que vienne un jour où il ne fera plus assez peur, peur du vide qu'il sent en lui.

À l'inverse d'Égisthe, Oreste commet un meurtre qui le laisse sans remords et lui confère une plénitude, parce qu'il ne s'agit pour lui ni de vengeance ni d'ambition personnelle mais d'un acte accompli librement, pour châtier le couple par qui était tenue dans l'abjection la collectivité en laquelle il voulait s'insérer. Au lieu d'écraser, comme Égisthe, autrui sous le poids d'un remords dont il serait le premier écrasé, au lieu d'être haine de soi et, partant, haine des autres, il délivre ceux-ci et trouve sa place et sa fonction en prenant sur sa propre tête, avec le sang dont il n'a pas hésité à se souiller, toute la culpabilité latente de la société. Ainsi, il les libère doublement : d'une part, supprimant leur tyran et leur apprenant que la nature humaine est liberté ; d'autre part, jouant le rôle d'un bouc émissaire sur qui les autres peuvent se décharger de leurs péchés (dans l'horreur même dont ils revêtent l'image de ce meurtrier sans remords) ou, plutôt, celui d'un chaman guérisseur dont le pouvoir repose sur le fait que lui seul est de taille à prendre sur lui, sans succomber, le démon qui causait la maladie.

Dressé contre le pouvoir spirituel que représente un dieu cauteleux et le pouvoir temporel qu'incarne Égisthe le soudard, l'acte d'affirmation de soi accompli par Oreste prend figure de révolution. Aussi éloigné du scepticisme confortable qu'il tenait de sa culture humaniste et libérale que de la révolte élémentaire d'Électre qui n'est qu'aveugle déchaînement, pareillement dédaigneux de la vie trop facile qu'on mène dans une cité telle que Corinthe et de la dévotion tremblante aux morts en laquelle se complaisent les habitants d'Argos, Oreste a brisé le cercle fatal, frayé la voie qui mène du règne de la nécessité à celui de la liberté. Mais il ne saurait être question, pour lui, d'une prise du pouvoir : libre, Oreste a rompu le cercle et n'a donc pas à dominer les autres, à traiter autrui comme une chose ; parce qu'il est sans chaînes, il n'a pas besoin d'enchaîner. Un chef, d'ailleurs, n'est-il pas nécessairement lié à son peuple par des liens de dépendance réciproque et, dans le cadre de rapports impliquant un esclavage, peut-il être question, pour quiconque, d'une vraie liberté ? De sa propre liberté est corollaire la liberté qu'Oreste laisse aux autres, puisqu'il ne pourrait leur imposer des lois sans, du même coup, en être dupe lui-même.

Aux gens d'Argos, après les avoir délivrés de cette grande peur qu'il faut avoir parce que « c'est comme cela qu'on devient un honnête homme », Oreste se bornera à léguer son exemple : à chacun de faire comme lui et d'accomplir le saut, s'engageant dangereusement et de sa propre décision dans la voie aride ainsi inaugurée, à l'encontre d'un Bien qui n'est autre que « *leur* Bien », celui des hommes aliénés à eux-mêmes par le respect de l'ordre établi. « Je ne suis ni le maître, ni l'esclave, Jupiter. Je *suis* ma liberté », dit Oreste, qui déclare peu après que « chaque homme doit inventer son chemin ». Révélée à elle-même par le geste d'Oreste, on peut penser que la cité d'Argos, au lieu d'être un agrégat de maîtres et d'esclaves, se changera en une association d'hommes devenus conscients de leurs responsabilités et, affranchis du joug religieux comme du joug politique, se tenant à leur propre hauteur, par-delà bonheur et désespoir.

Telle est, en traits rapides, la grande leçon morale qui semble devoir être tirée des *Mouches*, au niveau de la cité.

FRANCIS JEANSON

Pour Francis Jeanson, *Les mouches* ont une importance fondamentale et une valeur paradigmatique, dans la mesure où tous les problèmes sartriens y sont déjà présents : « L'œuvre de Sartre dans son ensemble pourrait sans trop d'exagération être considérée comme le commentaire, la critique et le dépassement de la conception de la liberté que propose cette pièce. »

Au fond, il les méprise un peu, ces gens d'Argos. Voyez de quelle souveraine distraction il use à leur égard, lui qui n'a cessé de répéter que nul ne se libère s'il n'accomplit *son* acte, s'il n'invente *son* chemin, et qui s'oubliera finalement jusqu'à prétendre les avoir libérés à leur place, jusqu'à se féliciter d'avoir agi pour eux... Oui, le seigneur Oreste est un peu désinvolte. Mais sans doute est-il, en même temps, profondément sincère : dans la situation qui était la sienne au départ, il est allé jusqu'au bout de lui-même. Et cette situation en a reçu un sens nouveau puisqu'une liberté qui était en l'air et comme nulle est parvenue à s'y incarner, à y prendre corps, à y conquérir son poids d'existence. Seulement ce n'est que pour lui qu'elle en est devenue plus vraie : par rapport aux autres, aux gens d'Argos, elle n'a pas cessé d'être en porte à faux. Le langage d'Oreste n'est pas le leur, leurs problèmes ne sont pas les siens. Il y a entre eux cette distance, insaisissable et radicale, qui sépare l'engagé volontaire du mobilisé, l'homme qui décide librement d'entrer dans le bain et celui qui s'y trouvait déjà en naissant. Ce chemin qui descendait vers la ville, ce n'était qu'une ruse : Oreste n'est entré dans Argos que pour en ressortir, il a d'emblée admis que son chemin ne pouvait être un des chemins d'Argos. « *Hier encore, je marchais au hasard sur la terre, et des milliers de chemins fuyaient sous mes pas, car ils appartenaient à d'autres. Je les ai tous empruntés, celui des haleurs, qui court au long de la rivière, et le sentier du muletier et la roue pavée des conducteurs de chars ; mais aucun n'était à moi. Aujourd'hui, il n'y en a plus qu'un, et Dieu sait où il mène : mais c'est* mon *chemin.* » Comme on sent bien, en tout cas, que ce ne sera ni le chemin d'un haleur, ni celui d'un muletier, ni celui d'un conducteur de chars... Ce ne sera même pas celui d'un roi : Oreste veut bien engager sa liberté, mais il

Francis Jeanson, *Sartre*, © Éditions du Seuil, 1955, « Écrivains de toujours », p. 20-24.

répugne à tout engagement qui le situerait par rapport aux autres hommes et de quelque manière le ferait dépendre d'eux dans l'exercice même de sa liberté. « *Je veux être un roi sans terre et sans sujets.* »

Il enviait ces hommes « *qui naissent engagés* », qui vont « *quelque part* » ; mais *son* chemin, il le voudra parfaitement indéterminé : « *Dieu sait où il mène...* » Peut-on dire qu'il a triché ? Non : mais sa situation était d'emblée *truquée*. N'étant pas né engagé, il souffre en lui-même, au contact des autres hommes, d'un certain manque de consistance et de réalité. Ce qu'il leur envie, ce n'est pas leur situation, c'est seulement l'espèce de chaleur et de densité qu'elle leur confère. Et comme la forme idéale de la liberté demeure pour lui l'indépendance, il cherchera à s'emparer de leur réalité sans avoir à subir les inconvénients de leur situation. Sincèrement persuadé de vouloir être l'un d'entre eux, il ne visera en fait qu'à se sentir exister par leur intermédiaire. Dans ces conditions, son comportement à leur égard versera tout entier dans le *magique*. Nous avons déjà vu qu'Oreste prétend libérer les hommes d'Argos en leur donnant en spectacle sa propre libération : son acte doit leur ouvrir les yeux. En apparence, un tel espoir n'a rien de déraisonnable. Mais il faut voir qu'il se fonde sur une conception *épidémique* de la prise de conscience : nous sommes en pleine magie, au niveau de la classique morale des grands exemples, de la *contagion par l'exemple*. Cette morale a fait ses preuves : elle n'a jamais eu pour résultat que de paralyser les uns par le sentiment de la distance qu'ils ont à franchir pour s'égaler à leur modèle, et de dévoyer les autres en leur proposant l'imitation de héros dont la situation et les problèmes sont sans rapport avec les leurs. Son seul tort, en dernière analyse, est de méconnaître que les vertus et les valeurs ne sont pas des états d'âme ou des maladies infectieuses, qu'on ne les attrape pas comme un fou-rire, une grippe ou les oreillons, qu'on ne peut pas refiler sa liberté à quelqu'un comme on lui collerait « le cafard », et qu'enfin la prise de conscience elle-même, par quoi s'inaugure toute opération morale, est le fruit d'un *travail* qui doit s'accomplir patiemment dans l'histoire, dans le relatif, à coups d'actes incertains et tâtonnants, dont aucun n'est vraiment bon, aucun vraiment mauvais, mais qui tous ensemble, peu à peu, dévoilent et inventent à la fois une certaine image de l'homme.

De ce travail, Oreste n'a cure. Et s'il pense au contraire libérer les hommes en les fascinant par le spectacle de sa propre et solitaire entreprise, c'est qu'à vrai dire il a besoin, lui, d'être vu par eux pour se sentir exister. Si aristocratique que soit sa liberté, encore exige-t-elle le regard des autres pour s'assurer d'être. Mais entendons bien qu'il importe peu que les autres la saisissent *en tant que liberté* : ce qui compte c'est qu'elle soit saisie, constituée en être du monde, brutalement pourvue d'un dehors, objectivée, rendue compacte, *faite chair* enfin, — fût-ce par l'effroi et la haine qu'elle suscite dans des yeux de chair. Oreste *sait* qu'il est libre et n'accepte, pour en juger, d'autres critères que les siens : mais il a besoin de *ressentir* sa liberté, de l'éprouver comme une passion. « *J'ignore*, disait-il, *les denses passions des vivants* » : ce sont elles qu'il va tenter d'attirer en lui, magiquement, c'est par elles qu'il va tenter de se faire posséder ; mais il faudra que ce soit en continuant d'échapper au sort commun des hommes. Se servant d'eux pour se sentir exister, il n'en refusera pas moins d'exister *par rapport à eux*. Le pouvoir que très provisoirement il leur accordera sur lui, ce sera un pouvoir malgré eux, vrai pouvoir pour lui puisqu'il produira l'effet qu'il en attend, mais pour eux faux pouvoir, puisque l'initiative et le contrôle leur en auront été d'emblée confisqués. Leur regard aura vertu constituante, mais ce sera une « virtus » entièrement mystifiée, une puissance prise au piège et dont ils seront dépossédés dans le temps même où ils l'exerceront.

Le piège, évidemment, c'est l'acte. En accomplissant son double meurtre, Oreste viole Argos et se met lui-même en situation d'être violé par le regard des gens d'Argos. Il les fascine horriblement, et il jouit de les fasciner. « *Je sais : je vous fais peur... Vous me regardez, gens d'Argos, vous avez compris que mon crime est bien à moi ; je le revendique à la face du soleil, il est ma raison de vivre et mon orgueil, vous ne pouvez ni me châtier, ni me plaindre, et c'est pourquoi je vous fais peur...* » Il s'expose, il s'exhibe, il provoque leur violence et se fait un peu bousculer par eux, mais en se prouvant qu'il reste maître de la situation. Tout le piège est là : les violer pour les séduire à ce viol en retour, et posséder ainsi leur vie, leur chaleur humaine, en se donnant l'illusion d'être possédé par eux. Car il ne peut s'agir que d'une illusion : ce que vise Oreste, c'est le sentiment d'être violé, joint à la conscience de demeurer vierge. De fait, il ne court aucun risque : il est frigide. Et c'est froidement qu'il prend congé de « ses » hommes, en conclusion de cette fête qu'il vient de s'offrir. Ici l'acte d'Oreste, *acte* pour lui seul, s'achève en représentation et révèle son être-pour-autrui : un pur *geste*, doublement théâtral, — par son allure spectaculaire et par le choix que fait Oreste d'y jouer le rôle d'un héros déjà entré dans la légende.

« *Écoutez encore ceci : un été, Scyros fut infestée par les rats. C'était une horrible lèpre, ils rongeaient tout ; les habitants de la ville crurent en mourir. Mais, un jour, vint un joueur de flûte. Il se dressa au cœur de la ville — comme ceci.* (Il se met debout.) *Il se mit à jouer de la flûte et tous les* rats vinrent se presser autour de lui. Puis il se mit en marche à longues enjambées, *comme ceci* (il descend du piédestal), *en criant aux gens de Scyros :* « *Écartez-vous !* » (La foule s'écarte.) *Et tous les rats dressèrent la tête en hésitant — comme font les mouches. Regardez ! Regardez les mouches ! Et puis tout d'un coup ils se précipitèrent sur ses traces. Et le joueur de flûte avec ses rats disparut pour toujours. Comme ceci.*(Il sort ; *les Érinyes se jettent en hurlant derrière lui.*) »

Dans cette apothéose, Oreste se fait saisir tout vif par une humanité mythique : en un instant, il se change en mythe pour échapper aux hommes réels, et c'est l'instant même où il attire et résume en lui, magiquement, toute leur réalité. Contre la patience du travail, il a choisi l'exaltation de la fête et l'absurde générosité qui se consume dans l'absolu, immédiatement, pour n'avoir pas à s'exercer dans le relatif, à se compromettre en recourant à des moyens. La fin humaine qu'il prétendait poursuivre, il a préféré l'atteindre d'emblée dans l'imaginaire, s'en donner d'un seul coup l'équivalent symbolique, la vivre enfin comme un orgasme et, s'étant fait foudroyer de la sorte, compter sur l'indéfini retentissement en lui de ce choc pour se sentir exister, pour s'éprouver réel, tout au long de son solitaire et somptueux accomplissement de soi.

PIERRE VERSTRAETEN

Reconsidérant toutes les pièces de Sartre, Pierre Verstraeten analyse les présupposés philosophiques des *Mouches*, et y décèle un individualisme qui sera dépassé dans les œuvres ultérieures, par une véritable prise en compte de l'histoire.

Si Sartre, dans *Les mouches*, ne propose qu'une solution individuelle, un rapport magique avec l'Histoire, c'est que l'Histoire n'a pas ménagé d'autres issues ; dans l'univers de l'Europe germanisée, on peut tuer, dynamiter, être martyrisé : on n'entame pas réellement le temps d'une histoire qui se déroule ailleurs. Dans cette perspective l'action est nécessairement répétition, le geste, théâtral ; on sauve son âme et non les hommes. Mais quand il n'y a que son âme à sauver, la déréalisation de l'action est la seule manière de sauver l'humain ; l'homme est irrémédiablement signifiant et si l'Histoire exclut l'homme de sa réalité effective, il reste à l'homme à vivre cette exclusion en s'installant dans l'imaginaire. Conserver précieusement son âme pour des avenirs meilleurs c'est partir battu d'avance. Si le futur est fait de la qualité des présents, lorsque des actes sont nécessairement transformés en gestes théâtraux, il ne reste qu'à les jouer sur le mode d'une répétition générale de l'entrée effective dans l'Histoire. « Il me semble que cette minorité qui s'est offerte au martyre, délibérément et sans espoir, suffit amplement à racheter nos faiblesses. »

Pierre Verstraeten, *Violence et éthique*, Paris, Gallimard, 1972, p. 24-26.

Cependant, il reste que cette attitude, *détachée du contexte historique dans lequel elle a surgi*, peut s'articuler comme une des réponses *possibles* au problème posé à l'homme par l'Histoire. Autrement dit, l'interprétation qui s'élabore sur la base de cette expérience *particulière* de l'Histoire peut parfaitement se « bloquer », et prétendre s'ériger en attitude universelle ; bref, elle peut se vouloir exemplaire ; elle aurait l'avantage de sauver l'individualité de l'agent tout en l'obligeant à payer un « tribut » à l'Histoire. En réalité, cette conception s'appuie sur une interprétation fallacieuse de l'Histoire et manifeste, à notre sens, la tentative de synthèse entre un individualisme bourgeois et l'exigence de communauté universelle latente à notre époque ; ainsi, à travers les variations de la totalité historique, l'idéologie bourgeoise resterait identique à elle-même. Elle avait exclu toutes catégories historiques du front de sa pensée ; contestée à l'occasion de la guerre elle doit bien faire une place à l'Histoire dans son système idéologique ; mais les catégories de l'ancienne idéologie ne se dissolvent pas pour autant, elles se modifient simplement pour intégrer, sans changer essentiellement, la violence qui jusque-là restait absente de ses préoccupations ; bref, elle reste pareille à elle-même, s'adapte et persévère dans son être. En effet, cette attitude n'est défendable que par l'inversion de l'ordre et du statut accordé aux divers registres en question : la guerre est plus une manifestation des forces universelles du mal que l'effet précis et daté d'une dialectique des conflits sociaux. Par elle se sont révélées les dures nécessités du monde, mais précisément, ainsi définies, ces nécessités sont canalisées dans une révolte métaphysique de l'homme contre le destin. Au lieu de lire dans la violence l'expression brouillée de l'Histoire Universelle se déroulant dans le temps, à travers l'action des hommes, elle est ressaisie comme le « signe » de l'immémoriale absence de Dieu. Et en fin de compte l'homme retombe seul face à l'absurdité des choses. On peut encore édifier l'assomption de cette absurdité en Morale, mais les termes sont faussés d'avance : on s'est condamné à interpréter l'événement à partir du *Ciel* et non à la lueur de l'entreprise *à venir* de l'homme.

2. HUIS CLOS

RONALD D. LAING

Praticien et théoricien de l'anti-psychiatrie, Ronald D. Laing a trouvé dans la pensée de Sartre de nombreuses réflexions propres à fonder une nouvelle approche des comportements psychotiques. *Huis clos* lui donne l'occasion de repenser les attitudes inauthentiques de la conscience.

Collusion éveille à la fois la résonance de jeu et celle de tromperie. C'est un « jeu » auquel jouent deux ou plusieurs personnes qui se trompent elles-mêmes. Ce jeu *est* le jeu de l'autoduperie mutuelle. Alors que la délusion, l'élusion et l'illusion peuvent être le fait d'une seule personne, la collusion est nécessairement un jeu-à-deux-ou-plusieurs personnes. Chacun joue le jeu de l'autre sans, pour cela, en être forcément tout à fait conscient. L'un des traits essentiels de ce jeu consiste à ne pas avouer que c'en est un. Quand l'un des participants est principalement la « victime » passive (on peut devenir une victime parce qu'on ne joue pas à la « victime ») d'une ruse, d'une manœuvre, ou d'une machination, la relation ne peut être qualifiée de collusion. En pratique, il sera difficile de déterminer si et dans quelle mesure une relation est collusoire. Il n'est cependant pas négligeable d'établir la distinction en théorie. Un esclave peut être en collusion avec son maître, acceptant l'esclavage afin de sauver sa vie, au point même d'exécuter des ordres entraînant sa propre destruction. [...]

La collusion se déclenche toujours quand le soi trouve en autrui cet autre qui le « confirmera » dans le faux soi que le soi s'efforce de rendre vrai, et vice versa. Le terrain est alors préparé pour qu'indéfiniment on se soustraie mutuellement à la

Ronald D. Laing, *Soi et les Autres*, Paris, Gallimard, 1971 (trad. Gilberte Lambrichs), p. 133-139.

vérité et au véritable accomplissement. Chacun a trouvé un autre pour sanctionner la fausse idée qu'il se fait de lui-même et donner à cette apparence un semblant de réalité.

La présence d'un tiers est toujours un danger pour une collusion à deux. Avec une précision géométrique qui fait songer à Spinoza, le *Huis clos* de Sartre décrit une ronde infernale de couples collusoires formant des triades impossibles. *Huis clos* révèle le supplice que subit celui qui n'arrive pas à maintenir son identité quand sa vie est conçue de telle manière que l'identité-du-soi, pour être supportable, exige la collusion. Trois morts, un homme et deux femmes, sont réunis dans une pièce. L'homme est un lâche ; l'une des femmes est une garce hétérosexuelle, l'autre est intelligente et lesbienne. L'homme a peur d'être un lâche et que les autres hommes ne le respectent pas. L'hétérosexuelle craint de ne pas plaire aux hommes. La lesbienne redoute que les femmes ne soient pas attirées par elle. L'homme a besoin d'un autre homme ou, à la rigueur, d'une femme intelligente qui le considère comme quelqu'un de courageux, de manière à pouvoir se faire accroire qu'il l'est. Il est tout prêt à être, dans la mesure du possible, ce que chacune des deux femmes veut qu'il soit, pourvu qu'elles acceptent la collusion en lui disant qu'il est courageux. Cependant la première ne peut voir en lui qu'un objet sexuel. Il ne peut donner à la lesbienne rien de ce qu'elle désire si ce n'est sa propre qualité de lâche, car c'est sous cet aspect qu'il lui faut voir les hommes pour se justifier. Les deux femmes ne peuvent établir de collusion stable avec personne, la lesbienne parce qu'elle se trouve avec un homme et une femme hétérosexuelle, l'hétérosexuelle parce qu'elle ne peut pas *être* une femme hétérosexuelle sans « signifier » quelque chose pour un homme. Mais cela n'intéresse pas cet homme-là. Aucun d'eux ne peut maintenir sa « mauvaise foi » sans collusion avec un autre, chacun reste tourmenté, assiégé par l'angoisse et le désespoir. Dans cette situation, « *l'enfer, c'est les autres* ».

SERGE DOUBROVSKY

Tenant de la nouvelle critique, mais aussi de l'auto-fiction, l'écrivain Serge Doubrovsky s'est fréquemment intéressé à l'œuvre de Sartre, lui consacrant des études où l'insérant dans ses fictions. Dans *Corneille* et *la dialectique du héros*, il évoque une parenté entre *Horace* et *Huis clos*, qui traitent également de la transcendance et de l'altérité.

En termes de philosophie existentialiste, la tragédie d'Horace reflète ici le drame de toute conscience : l'impossibilité d'être pleinement et absolument — d'être-Dieu — se traduit par la double impossibilité *temporelle* de coïncider avec soi, et *spatiale* de se récupérer sur autrui. On ne saurait pas plus échapper au morcellement de la durée qu'à la dispersion dans le monde ; pas plus arriver à la possession totale de soi qu'à celle d'autrui. À cet égard, *Horace* explore, trois siècles à l'avance, et malgré les différences évidentes, la même impasse que *Huis clos*, et pour le héros cornélien autant que pour les personnages sartriens, « l'Enfer, c'est les autres ». C'est la présence irrémédiable et irrécupérable d'*autrui* (pour l'aristocrate, tout naturellement, le *peuple*), qui fait trébucher le héros dans sa quête de possession absolue de soi, et toutes les conduites auxquelles il a fait appel pour éluder (Alidor) ou surmonter (Rodrigue) cette présence aboutissent, en fin de compte, à un échec. Ainsi, au sommet de sa carrière, le héros rencontre la *solitude tragique absolue* : solitude du héros dans sa classe, solitude de

Serge Doubrovsky, *Corneille et la dialectique du héros*, Paris, Gallimard, 1963, p. 178 et 182.

sa classe dans l'humanité, solitude de l'homme à l'intérieur comme à l'extérieur de lui-même. Au moment où il se consomme dans le combat fratricide et le meurtre incestueux, c'est-à-dire où il tente de se *dé-naturer*, l'effort héroïque s'éprouve tout entier repris par l'être-au-monde ou *être naturel*, qu'il fuyait. [...] Ce n'est nullement par hasard que la courbe de la dramaturgie cornélienne anticipe, trois siècles à l'avance, celle de la pensée sartrienne. Chez Corneille comme chez Sartre, l'effort radical pour définir l'homme par la liberté fait bientôt apparaître les apories de cette liberté, et surgir la double impasse existentielle et morale d'une subjectivité en proie au temps et à autrui. C'est pourquoi les catégories de la philosophie existentialiste s'appliquent admirablement à la compréhension d'un théâtre frère. Nous voyons, dans les comédies de Corneille comme dans les premières œuvres de Sartre, le Moi chercher littéralement son salut dans la « fuite », et, chez les deux écrivains, l'exploration littéraire aboutit tout naturellement à dresser un véritable catalogue des conduites de « mauvaise foi ». Épuisés les sortilèges des faux-semblants, la conscience naît enfin à la solitude tragique, dont elle fait peu à peu l'apprentissage dévastateur. La seule possibilité de briser la déréliction métaphysique, pour l'homme, sera de la transcender vers un Ordre humain.

VI. CHOIX BIBLIOGRAPHIQUE

BIOGRAPHIE ET BIBLIOGRAPHIE

Michel Contat et Michel Rybalka, *Les écrits de Sartre*, Paris, Gallimard, 1970. Ouvrage bibliographique fondamental, nécessaire à toute étude de Sartre.

Annie Cohen-Solal, *Sartre 1905-1980*, Paris, Gallimard, 1985. La biographie de référence.

Simone de Beauvoir, *La force de l'âge*, Paris, Gallimard, 1960. Les Mémoires de la compagne de Sartre.

ÉTUDES SUR LE THÉÂTRE DE SARTRE

Francis Jeanson, *Le problème moral et la pensée de Sartre*, Paris, Le Seuil, 1965. Une introduction à la pensée de Sartre telle qu'elle s'exprime dans *L'Être et le Néant*.

Francis Jeanson, *Sartre*, Paris, Le Seuil, coll. « Écrivains de toujours », 1974. Un petit livre toujours d'actualité, dont les analyses sur le théâtre de Sartre sont d'une grande pertinence.

Pierre Verstraeten, *Violence et éthique : Esquisse d'une critique de la morale dialectique à partir du théâtre politique de Sartre*, Paris, Gallimard, 1972. Une étude philosophique et totalisante du théâtre de Sartre, qui ressaisit les pièces dans la continuité de l'œuvre et dégage leurs enjeux conceptuels.

Robert Lorris, *Sartre dramaturge*, Paris, Nizet, 1975. Une étude des œuvres selon leur propos idéologique.

Ingrid Galster, *Le théâtre de Sartre devant ses premiers critiques*, Paris, Jean-Michel Place, 1986. Une étude sociologique et historique très riche de la réception des *Mouches* et de *Huis clos*.

ÉTUDES SUR *LES MOUCHES*

Claude Lévi-Strauss, *La pensée sauvage*, Paris, Plon, 1962 (chapitre IX). Point de vue analytique et critique par le célèbre ethnologue.

René Girard, « À propos de Jean-Paul Sartre : rupture et création littéraire », in *Les chemins actuels de la critique*, Paris, Plon, 1967 (cf. aussi la discussion avec Maurice de Gandillac). Une comparaison avec *Les séquestrés d'Altona*.

Lucien Goldmann, *Structures mentales et création culturelle*, Paris, Anthropos, 1970 (p. 193-238). Considérations sociocritiques.

Josette Pacaly, « Notes sur une lecture des *Mouches* à la lumière des *Mots*, in *Études philosophiques et littéraires*, mars 1968 (p. 43-47). Une étude psychanalytique.

ÉTUDES SUR *HUIS CLOS*

Michael Issacharoff, « Sartre et les signes : la dynamique spatiale de *Huis clos* », in *Travaux de linguistique et de littérature*, vol. 15, n° 2. Une étude sémiotique.

Bernard Lecherbonnier, *Huis clos, analyse critique*, Paris, Hatier, 1972. Une explication didactique.

ÉTUDES HISTORIQUES

Robert O. Paxton, *La France de Vichy, 1940-1944*, Paris, Le Seuil, 1973. Un ouvrage toujours fondamental.

Serge Added, *Le théâtre dans les années Vichy*, Paris, Ramsay, 1992. Une étude des différentes formes de théâtre et de leur réception pendant l'Occupation.

Pour des études plus approfondies :

Sartre, Obliques, nᵒˢ 18-19, Paris, 1979.
Études sartriennes, *Cahiers de sémiotique textuelle*, éd. de Nanterre,
    vol. I, 1984, vol. II-III, 1986, vol. IV, 1992.
Sartre et la mise en signe, Paris, Klincksieck,1982.
Lectures de Sartre, Presses universitaires de Lyon, 1986.
Témoins de Sartre, *Les Temps modernes*, nᵒˢ 531-533, Paris, 1990.

TABLE

DOSSIER

226

*Composition par Traitex et achévé d'imprimer
par l'imprimerie Maury-Eurolivres à Manchecourt
le 6 octobre 1993
Dépôt légal : octobre 1993
Numéro d'imprimeur : 93/09/M2148*
ISBN 2-07-038661-9 / Imprimé en France

63378